Kad
Rotaları

Aldivan Torres

Kader Rotaları

Yazar: Aldivan Torres

©2018-Aldivan Torres

Ben: ikinci bölüm

Tüm hakları saklıdır

Aldivan Torres, çeşitli türlerde birleştirilmiş bir yazardır. Bugüne kadar dokuz dilde yayınlanmış başlıkları var. Küçük yaşlardan itibaren, 2013'ün ikinci yarısından itibaren profesyonel bir kariyeri pekiştiren yazma sanatının her zaman aşığıydı. Yazılarıyla Pernambuco ve Brezilya kültürüne katkıda bulunmayı, henüz alışkanlığı olmayanları okuma zevkini uyandırmayı umuyor. Göreviniz, okuyucularınızın her birinin kalbini kazanmaktır. Edebiyatın yanı sıra başlıca zevkleri müzik, seyahat, arkadaşlar, aile ve yaşama zevkidir.

Kader Rotaları

Kader Rotaları

Pesqueira Belediyesi

Güzel bahçe

Gettoda

Gözlemevine dönüş

Aziz Cajetan

Pesqueira Belediyesi

Yeni bir gün büyük bir yoğunlukla doğuyor. Güneş doğar, güçlü ışınlarıyla çevreyi sular altında bırakır. Buna karşılık, hafif ve serin bir esinti eserek onları uyandırmaya ve rahatlatmaya yardımcı olur.

Ancak kaybedecek zaman yoktu. Melekler erkenden kalktılar ve sahibinin rızasıyla diğerini kahvaltı etmeye çağırdılar.

Teker teker odalarından kovulurlar, bir araya gelirler ve yemek odasına giderler. Kısa mesafe hızla kat edilir ve önceki akşam olduğu gibi kendilerine yardım ederler. Bitirdiklerinde, o güzel umut verici sabahta, yakındaki bir masanın etrafında oturarak huzur içinde yemek yemeye gidin.

Her şey aynı anda hem barış hem de savaş atmosferinde görünüyordu. Açıklamama izin ver. Şimdiye kadar programı sadakatle tamamladığı için barış ve sonraki olayların geleceği hakkında somut tanımlara sahip olmadığı için iç savaş. Endişeli olmanın yanı sıra, kaderlerini kontrol etme konusunda artan bir arzuları vardı, çoğu durumda mümkün olmayan ve içlerinde hayal kırıklığına neden olan şey. Ancak, hiçbir şey kesin olarak alınmadı.

Sahip oldukları en büyük erdem iyimserlikti ve aralarındaki tartışmalar da dahil olmak üzere her durumla yüzleşmeye yardımcı oldu. Bunlardan biri kahvaltı saatinde meydana gelir, ancak Rafaelle otoritesiyle onu kontrol etmeyi başarır. Kadınlar arasında her birinin önemi hakkında aptalca bir tartışma oldu. Sonunda barıştıkları gibi.

Kahvaltıyı bitirmeleri büyük bir hızla oldu. Kısa bir bilgilendirme, gidecekleri bir yer seçtiler, odalarına döndüler, çantaları topladılar, tekrar ayrıldılar, konaklama ücretini ödediler, vedalaştılar ve kuruluştan ayrıldılar. Her birinin "Ben'imi, içlerinde, duyulmak ve zihinlerinde yankılanmak için bağırdı.

Merkezden, kasabanın uçlarından birine giden doğu yönünde ilerler. Yaya olarak geçiş sırasında tanıdıklarla, yabancılarla tanışırlar ve karşıdan karşıya geçerken kaotik trafikle karşı karşıya kalırlar. Yine de cesaretleri kırılmıyor.

Yavaş yavaş, otobüs durağına, Frensizken manastırına inen cadde gibi önemli noktalardan geçerler ve Recife Bulvarı'na ulaşırlar, Pesqueira Federal Üniversitesi'ne doğru sola dönerler.

Artık her adım belirleyiciydi çünkü hedefe yaklaşıyorlardı. Yaklaşık iki yüz metre yürüdükten sonra terk edilmiş bir evin önünde dururlar. Bir işaretle hepsi yaklaşır, girişten geçer, dış alana erişir ve bu noktada Tanrı'nın oğlu konuşur.

"Kardeşlerim, önümde geçmişimin bir sembolü olarak duruyorum. 2002'de buradan geçiyordum ve arkadaşlarımdan burası hakkında suikast, adalet, maneviyat ve korku içeren karanlık bir hikâye duydum. Zaman geçti, ama yine de hikâyeyi unutmadım. Şimdi amacım olanlara bir açıklama getirmek" Görücüyü sonlandırdı.

Bunu söyler söylemez her şey değişmiş gibiydi. Gizemli bir şekilde, kapı arkalarından kapanır. Kara bulutlar güneşi kısmen kaplıyor ve evin içinde insanları korkutan çığlıklar duyuluyor. Rafael konuşuyor:

"Sakin ol Gardiyan! Arkadaşımızı merakı için bağışlayın. Hemen gideceğimize ve sizi huzur içinde bırakacağımıza söz veriyoruz.

Bir işaret yapan Rafael, Uriel aradı ve birlikte insanları yakaladılar ve duvarın üzerinden uçtular. Saniyeler içinde dışarıdaydılar. Tekrar ters yönde yürürler ve sonra melek açıklar:

"Henüz zamanı değil, Tanrı'nın oğlu! Henüz hazır değilsin. (Rafael)

"Anlamıyorum. Neden olmasın? (Tanrı'nın oğlu)

"Bize sormayın. Şu anda yapılacak en iyi şey bu – Müdahale etti Uriel.

"Çok iyi. (Tanrı'nın oğlu)

"Bir sonraki adım nedir, Rafael? (Renato)

"Yolculuğa devam edelim – diye yanıtladı.

"Tamam. (Renato)

"Şanslı olalım! (Rafaelle Ferreira)

"Keşke kedi! (Kahin)

"Ben hazırım Aldivan. Bana dokunabilir misin? (Bernadette Sousa)

"Onu bekliyordum uşağım. (Kahin)

Aldivan elçisinin yanına gider. Sevgiyle kolunu uzatır ve bu sefer parmaklarının ucuna dokunur. Cildinin pürüzsüzlüğü onu titreştiriyor ve geleceğinin vizyonuna sahip olmasını sağlıyor:

"Bernadette evde bir fincan çay içiyordu, salonda bir sandalyeye uzanmıştı. Elli yaşındayken, yoğun yaşamının ana olaylarını hatırlıyor: ebeveynlerinden yetiştirilmesi, Mimoso köyünde arkadaşlarıyla birlikte büyümesi, ergenlik geçişi, tecavüz, kürtaj ve genç bir adamın her şeyin değişebileceğine dair vaadi. Sözlerinden cesaret alarak, dünyayı dolaşma davetini kabul etmiş ve onun için her şeyi yapmaya hazır bir baba ve oğul

keşfetmişti. Çok sevgi gösterdi ve ödül olarak kendini yakındaki akıl hastanesindeki komşusuna adadı. Ayrıca, mesajını onu tanıyan herkese yayar. Bu eylemler sayesinde gerçek mutluluğu keşfetti ve dünyevi yaşamdan ayrıldığında Tanrı'nın krallığında hoş karşılanacağından emindi. İçindeki "ben" i bulmuş ve babanın "ben" ini diğer sıfatların yanı sıra kahin, ilahi, Aldivan Torres ve istisnai adam denen oğlu aracılığıyla anlamıştı. Evren ve iyi huylu güçler onun başarısı için komplo kuruyorlardı ve hayatını değiştirenden sadece bu dilemişti. Mübarek olsun! Dahili olarak tekrarlar. Yüzünde bir gülümsemeyle sandalyeden kalkar ve ev işlerini yapmaya ve evindeki tek arkadaşı olan kedisi Tobit'e bakmaya gider. Ve hayat devam edecekti..."

Gören, vizyondan sonra elini çeker. Elçiyi tekrar kucaklar ve bir işaretle onun ve arkadaşlarının onunla gitmesini ister. Sessizlik, onun konuşmasından çok daha fazlasını ortaya koyuyor ve Bernadette bunu anlıyor. Her şeyin bir cevabı olamazdı ve önemli olan kendini mevcut göreve adamaktı. Her zaman ileri!

İyi bir hızla yürüyen grup, Çayır mahallesinden merkeze doğru iniyor. Recife Bulvarı'ndan dönün, birkaç yüz metre düz gidin, başka bir köşeyi dönün ve mahallenin ana caddesini takip edin.

Aynı ritimde kalarak, otogara giden yolu on beş dakikada kapsıyorlar. Tek katlı binanın önünde biraz ilerleyip bilet gişesinden biletleri alıyorlar. Daha sonra bekleme odasına yerleşirler.

Otobüs gelene kadar otuz dakikadan fazla beklediler. Teker teker içeri girip boş koltuklara oturuyorlar. Tüm yolcular bindiğinde otobüs hareket eder.

Kısa yolculukta yaptıkları tek şey bu kadar çok endişe karşısında dinlenmek. Neler olabileceğini bağımsız olarak biliyorlardı, davalarına olan bağlılıkları, bağlılıkları ve coşkuları nedeniyle zaten tebrik edileceklerdi. Ancak daha fazlasını istediler ve hayal ettiler.

Bu şekilde on dakika içinde bir sonraki duraklarına vardılar: Sanharó kasabası. Ağır valizlerini taşıyarak otoyol kenarındaki otobüsten inip yürüyerek şehir merkezine yürüyorlar.

Kasaba hakkındaki bilgisiyle kâhin, hepsini barındırabilecek bir han arar. Birkaç dakika sonra bulurlar. Sanharó, iki ay boyunca belediye idari merkezinde idari temsilci olarak çalıştığı zamandan beri çok az değişmişti. Büyümüştü, fark ediliyordu, ancak sessiz ve misafirperver bir yer hissini değiştirmedi.

Peynir ve süt kasabası olarak bilinen, yerel olarak var olan siyah bir arıdan türetilen isim, yerli dilde çapraz veya heyecanlı anlamına gelir. 2014 verileri: Alan: 256 km metrekare; nüfus: 24.556 kişi; İGE: 0,603.

Küçük hanın önünde, asfalt büyük girişi olan mütevazı bir bina, dağ evi tarzıydılar. Kalan cesareti toplayarak kuruluşa girerler, mal sahibiyle konuşurlar ve temelleri hallederler. Sonra biraz rahatlamaya giderler. Öğleden sonra yeni duygular onları bekliyor. Her biri, en yeni nesil cihazlarla donatılmış kendi odalarında sabah dinlenmenin tadını çıkarmaya çalışıyor: Bazıları uyuyor, diğerleri TELEVİZYON izliyor, diğerleri müzik dinliyor veya kitap okuyor. Yorucu ve meşakkatli bir yolculuktaki bu nadide anlar, yorgun bedenlerine merhem gibiydi.

Öğle yemeği vakti yaklaşırken tekrar buluşurlar ve birlikte yemek yerler. Yolculuğun sonraki ayrıntılarını sonuçlandırmak için avantaj sağlarlar. Otuz dakikanın sonunda birlikte dışarı çıkmaya karar verdiler. Karin'in amacı onları da özel biriyle tanıştırmaktı.

Merkezden güney yönünde, küçük yerin sokaklarında bir yandan diğer yana yönelirler ve iki blok sonra, yaklaşık 6×14 metre boyunda, bahçeli ve yüzme havuzlu, önünde duvarlarla çevrili orta büyüklükte bir kagir evin önüne gelirler. Ana kapıda bir kez çalarlar ve hemen birileri onlara katılmaya gelir. 50 yaşlarında, kısa, göbekli, yuvarlak gövdeli, kahverengi gözlü, siyah saçlı ve beyaz tenli bir adamdı. Kızgın bir ifadeyle, yaklaştığında konuşur.

"Ne istiyorsunuz beyler?

"Benim, Osmar. Hatırlamıyor musun? Seninle valilikte işbirliği yaptım. (Tanrı'nın oğlu)

Osmar, Aldivan'i tamamen yukarı ve aşağı bakıyor ve sonunda gülümsüyor. Bilgisayarsız olduğu için işteki durgun saatlerde kitabını yazacak olan hayalperesti nasıl unutabilirim? Defalarca ona hayranlık duydum, sonra 2007 yılının geçmiş zamanlarında bir çocuk.

Birkaç adımla ona doğru ilerler ve ona kocaman sarılır. Aldivan da aynısını yaptı ve her ikisi de yeniden karşılaşma anını yoğun bir şekilde yaşadı. Onlar, yaşam koşulları nedeniyle teması kaybeden iki kız kardeş ve yoldaş ruhtu.

Kucaklaşmanın sonunda Osmar omzunun uzun saçlarını karıştırır ve tekrar konuşmaya başlar:

"Ve bunlar, senin arkadaşların mı?

"Evet. (Aldivan)

"Aldivan'ın arkadaşları benim de arkadaşlarım. Lütfen, içeri gelin. Ev senin. (Ömer)

"Teşekkür ederim. (Rafael, grup adına)

Osmar tekrar eve girer ve diğerleri onu takip eder. Küçük bir salondan, bir geçitten geçiyorlar ve raf rafları, kanepe, sandalyeler ve masa, yerde deri halı, duvarlarda resimler ve diğer süs eşyaları ve girişte Farsça perdeler ile döşenmiş oturma odasına geçiyorlar Her şey iyi organize edilmiş ve zevkli.

Bazıları kanepeye, bazıları sandalyelere oturur. Bir zil çalarak çay, meyve suyu, soğuk içecekler, bira, şarap getiren ev temizleyicisini arar. Ziyaretçiler için meyve, kek ve bisküvi. Ev temizleyicisine hizmet ettikten sonra rahatlar. Osmar ve diğerleri, belirleyici olmayı vaat eden bir konuşma başlatma şansına sahipler.

"Yazar olmak isteyen hayalperestin evime gitme şerefine nail olabilirim?

"Artık arzu etmiyorum, Osmar. Yazmayı iş ve eğlence olarak görüyorum, artık onsuz yaşayamam. (Kâhin)

"Mükemmel! Senin adına mutluyum! Geçiyor musun? (Ömer)

"Deniz kenarına bir gezideyiz. Yeni hikayeler arıyorum. (Rafael)

"Siz de katılmaya davetlisiniz "dedi kâhin sert bir sesle.

"Bilmiyorum... Kafam karıştı. (Kekeme Osmar)

"Biliyorum. Bunu hissedebiliyorum. (Tanrı'nın oğlu)

"Bize söylemek istediğin bir şey var mı? (Uriel)

Osmar bir süre sessiz kalır. Neredeyse hiç tanımadığı insanlara güvenebilir miydi? Ona nasıl yardım edebilirlerdi? Bu ve diğer ilgili sorular tedirgin zihninde dolaşıyordu. Ani bir kararla riske atmaya karar verir.

"Evet, anlatacak bir şeyim var. Ama bana kendiniz hakkında daha fazla şey söyleyin. Adın ne, güzel hanımlar? (Ömer)

"Benim adım Rafaelle Ferreira. Arcoverde şehrinden geliyorum ve şu anda şiddetli bir depresyon aşamasından geçiyorum.

"Ben Bernadette Sousa. Tecavüze uğradıktan kısa bir süre sonra kürtaj oldum. Tanrı'nın oğlu bu zamanlardan geçmeme yardım ediyor.

"Zevk. Benim adım Osmar Pontes. O zamanlar işsizim, çalışma sürelerim boyunca birikimlerimle yaşıyorum.

"Zevk de. (İki kadın aynı anda)

"İşsiz mi? Vilayetten ayrıldınız mı? (Tanrı'nın oğlu

"Evet. Orada birkaç sorun yaşadım, bu beni ayrılmaya zorladı. Ama maddi olarak iyiyim, merak etmeyin. Emeklilik yaşına geldiğimde emekliliğimi isteyeceğim. (Ömer)

"Aynen öyle. (Tanrı'nın oğlu)

"Peki sizin adınız nedir genç arkadaşlar? (Ömer)

" Adım Uriel ve Aldivan'ın koruyucu meleğiyim.

"Ben Rafael Potester, tıpkı kardeşim Uriel gibi Tanrı'nın yedi ruhundan biriyim.

"Benim adım Renato ve ben kâhinin başlıca macera arkadaşıyım. Birlikte, halihazırda dört eseri olan aynı adlı serinin bir parçasıyız.

"İnanılmaz! Nutkum tutuldu! Arkadaşların olağanüstü. Bu dizi kâhin hakkında çok konuşulacak. Çalışmalarından biraz bahseder misin Aldivan? (Ömer)

"Dört romantizm, bir romantik, bir masal koleksiyonu, bir bilgelik kitabı, iki şiir seti ve ilk romantizme dayanan bir senaryo. Dört romantizm kâhin dizisini oluşturur. İlk başlık "Karşıt Güçler", destanın başlangıcıdır. Kısacası, kutsal olmayı vaat eden bir dağda hayallerimi gerçekleştirmek için Mimoso 'ya gittim. Orada, laik bir varlık olan ve zorlukların üstesinden gelmeme ve mağaraya girmek için izin almama yardımcı olan gizemlere sahip laik bir varlığa yardımcı olan birçok gizeme sahip olan koruyucu bayanla tanıştım. Kararlılık ve cesaretle hepsini başardım, mağaranın içine girdim, daha fazla engelle karşılaştım, tekrar kazandım ve vizyonları aracılığıyla her şeyi bilen bir varlık olan kâhin oldum. Daha sonra mağaradan ayrıldım, koruyucu hanımla tekrar buluştum ve Renato ile adaletsizlikleri düzeltmek, birinin kendini bulmasına yardım etmek ve dengesiz olan "Karşıt Güçleri" birleştirmek amacıyla eski Mimoso 'ya gönderildik. Otuz gün boyunca harika bir iş çıkardık ve Mimoso'dan daha deneyimli ve muzaffer döndük. Taahhütler nedeniyle bir süre durduk. İkinci başlık, "Ruhun karanlık gecesi" şunları ele alıyor: hayat bize karanlık günler yaşatıyor ve gerçek olmamasını dilediğimiz sefaletler.

"Ruhun karanlık gecesi", "Kâhin" in devamı niteliğindedir, ana karakter olarak ben, hayatımın tedirgin bir dönemine, Tanrı'yı, ilkelerimi unuttuğum, kendimi günaha kaptırdığım zamanlara cevap aramak için bir dağa döndüm. Dağda, "Kâhin", beni bilgiye götüren iki "yüksek varlık" ile temasa geçtim. Bununla birlikte, yedi ana günahla derinden bağlantılıydım ve edindiğim deneyime rağmen sorunlarım çözülmedi, sonra meleklerin krallığının merkezi olan "Kayıp Ada "ya bir gezi yapmak zorunda kaldık.

Kitap, tehlikelerle, korsanlarla, denizde büyük bir macerayla dolu, bir suçlunun kendini tamamen karanlığa batırdıktan sonra kendini rehabilite etmesinin mümkün olup olmadığını ve bunu yaptıktan sonra gerçekten huzur bulup bulamayacağını sorduğumuz, yansımalar ve sorular getiren bir pasajdır. Kendini affedebilir miydi? Mutluluğu bulabilecek miydi? Yoksa sadece bir yanılsama mıydı, daha da karanlık bir gece için bir duraklama mıydı? Kontrol etmeye değer.

Üçüncüsüne gelince, "İki dünya arasındaki karşılaşma" başlıklı romantizm, şimdiki ve geçmişe bir geri dönüş sunan bir hikâye. Bu, bir kez daha, ben ve Renato'yu içeren harika bir yolculuk. Sırasıyla geçmişte ve günümüzde yer alan iki bölüme ayrılmıştır ve ideallerimizin somutlaştırılması için savaşın önemini göstermeye çalışmaktadır.

Birinci bölümde, geçmişte bir isyanın sorumlu insanlarını bulmaya çalışmak için Cimbres 'in hemen dışındaki Fundão Sitesi'ne bir yolculuk. Onun yardımıyla, hikâye görüşünün anahtarı olan ortak vizyonda ustalaşana kadar eğitiliyoruz. Hazır olduğumuzda, ona boyun eğeriz ve XX. yüzyılın başına, kuzeydoğuda, baskı, adaletsizlik, önyargı ve kıtlık zamanlarına gideriz. Başından beri, o dönemin savaşan nüfusunun, özellikle de komploda aktif olarak yer alan bir grubun örneğini gözlemledik. Ancak, hedeflerinde mutlak bir başarı elde edebilir miyiz? Seçkinlerin maskesini düşürdük mü? Yoksa başarısız mı olduk? Ve bu kadar farklı dünyaların buluşmaları için beklenen, sosyal sınıfları, görüşleri, klişeleri ve aşkı anlatan insanlara ulaşmak mümkün mü? Öğrenmeye değer.

İkinci bölümde, işimizi bitirmek ve aradığımız mucizeye ulaşmak amacıyla yeni bir yolculuğa çıktık. Bu sefer Caraíbas'a geçmişin ikinci bir kişiliğini aramaya gittik ve onu bulduğumuzda tekrar yeni bir eğitime tabi tutulduk. Hazır olduğunda, hikâyenin ikinci kısmı ortaya çıkar. İçinde, okuyucu şu sorularla karşı karşıya kalacak: Sosyal sorun ne ölçüde başarılı bir şekilde müdahale ediyor? Birkaç başarısızlıktan sonra bile devam etmek uygun mu? Önyargılar yüzünden, denemeden bile kendini sevgiden mahrum bırakmaya değer mi? Yeteneği olan biri kendini özel görebilir, yoksa delilik mi? Tüm bunları ve çok daha fazlasını, kaderi ve hepimizin hak ettiği başarıyı arayan biri olan İlahi Olan'ın hikayesinde bulacağız. Son olarak, romanlar arasında "Tanrı'nın kodu" dördüncüsü. Hikâye, bir trajedinin damgasını vurduğu bir çiftliğin denetçisi olan Philippe Andrews'un kötü kaderinin nedenini sorgulamaya başlaması, öfkelenmesi ve öfkelenmesiyle başlar. Şans eseri bir kitap ve bir yazar bulur ve onu aramaya karar verir. Onu bularak, maceralarının arkadaşıyla birlikte, Tanrı ile tanışacakları ve sorunlarını çözecekleri uzak bir çöle yolculuk yapmaya karar verirler. Yolculuğa başlarlar, yolda onları istenen yere, Cabrobó çölüne götüren iki rehber bulurlar. Çölde on kasabadan geçerken, ilgili konuklarla ilginç küçük konuşmalar yaparlar ve aniden Tanrı, önemli soruları yanıtlayan rehberler aracılığıyla konuşmaya başlar. Ortaya çıkan her şey, Tanrı tarafından verilen ve insan ya da melek tarihinde asla deşifre edilmemiş bir kod olan "ahit "in detaylandırılmasına yardımcı olacaktır. Ve böylece? Tanrı'nın aşırı durumlarda Kendisini gösterebileceğine inanıyor musunuz? Yoksa sadece dahil olan herkesin bir hezeyanı mı? Özellikle Tanrı'ya olan inancını kaybetmiş kişilere yönelik bir kitap olan "Tanrı'nın kodunu" okuyun ve kendi sonuçlarınızı çıkarın.

Bilgelik kitabı, Tanrı'nın krallığı ve bilgeliği hakkında ahlaki temele dokunan hikayelerle babadan gelen yoğun aydınlanma cümlelerini sunar. Şiir olanlar aşka ve kuzeydoğu taşrasına değiniyor. Bununla birlikte, roman ilkel Hıristiyanlık zamanlarına, savaş zamanlarına, baskı ve zulüm zamanlarına kadar uzanır" Tanrı'nın oğlunu sonlandırdı.

"Güzel. Hepsini satın alacağım! Daha sonra prosedürler hakkında beni bilgilendirebilirsiniz. (Ömer)

"Tamam. Teşekkür ederim. (Tanrı'nın oğlu)

"Peki ya senin problemin? Bunu açıklamaya hazır mısın? (Rafael)

Doğrudan soru, ev sahibimizin tekrar soğumasına neden oldu. Bu arkadaşlar gerçekten cüretkardı. Buna rağmen elini göstermeye karar verir, şimdilik başvuracak kimsesi yoktur. Tanrı'nın iradesi olsun!

"Ben içler acısı bir adamım arkadaşlar. Bedensel ve maddi yolsuzluğun derinliklerine düştüm. Ben merhamete layık değilim! (Ömer)

"Sakin ol, bir yolu olmalı dostum! (Renato)

"İnsanlara göre imkânsız olan, Tanrı için mümkündür. (Uriel)

"Ben de aynı şekilde hissediyorum. Erkek arkadaşım beni terk ettiğinde, kadınların en kötüsünü hissettim. (Rafaelle Ferreira)

"Yenilgi ne kadar büyükse, lütuf da o kadar büyük olur. (Rafael)

"Kürtaj yaparken davamın bir çaresi ya da affı olmadığını da düşündüm. Ancak, yavaş yavaş, Aldivan Torres adında bir varlığı tanımaya başlıyorum ve beni tamamen anlayabiliyor. Onda bir babam ve erkek kardeşim var. (Bernadette Sousa)

Osmar, arkadaşlarının tüm ifadelerini analiz eder. Gören kişi gerçekten de sorununa güvenecek doğru kişi olabilir mi? Bir canavar olmasına rağmen ona biraz umut verebilir miydi? Bildiği zaman bu kardeşçe tarafını bilmiyordu ve o zamanlar çaresiz hissettiği için denemeye değerdi.

"Sen kimsin kâhin? (Ömer)

"Ben insan ruhunun derin bir uzmanıyım ve şu anda sizi yanında isteyen biriyim. Davalarınıza adanmışlık sözü veriyorum. (Kâhin)

"Bilmiyorum... Ne olduğunu bilseydin beni kabul etmezdin...

Kelimeler Osmar'ın ağzından çıkamadı, o zamanki korku ve güvensizlik böyleydi. Arkadaşının başının dertte olduğunu gören Tanrı'nın oğlu konuşur.

"Valiliği dolandırdığınızı ve reşit olmayan insanlar için cinsel yönelimleriniz olduğunu bilseydim? Umurumda değil. Sadece hasta bir adam olduğunu ve acil tedaviye ihtiyacın olduğunu biliyorum. Dahası, ruhunuzu karanlıktan aydınlığa değiştirmek için babamın arasını sunuyorum. Çünkü ben doğruları çağırmaya değil, günahkarları sertleştirmeye geldim, onlar, evet, yardımıma ihtiyaçları var. (Aldivan)

Osmar duygusallaşır. Nereden bildi? Nasıl anlayabilirdi? Hayatının hiçbir döneminde, onu teselli etmek ve desteklemek için kimse öne çıkmamıştı, sadece eller ve parmaklar hataya işaret ediyor ve onu sürekli yargılıyordu. Gerçekten de Aldivan sıradan bir varlık değildi.

"Teşekkür ederim. (Ömer)

"Öyleyse, Osmar? Seyahat ediyor muyuz? (Rafael)

"Evet. Beni ikna ettin. Bir dakika bekle. (Ömer)

Osmar sandalyeden kalktı ve odasına gitti. Orada, çantalarını hızla toplamaya başlar. On beş dakika sonra hazırdır, odadan çıkar, arkadaşlarıyla yeniden bir araya gelir, evin işleyişini çalışanlarına bırakır ve sonunda onlarla birlikte gider. Dünya onun bir sonraki eylemlerini bekliyordu.

Dışarıda, birkaç metre yürüdükten sonra, gören tekrar konuşur.

"Bize şehrinizden biraz bahsetmenizi öneririm. Tamam?

"Mükemmel. Beni takip edin" dedi.

Grup güney bölgesini geçer ve tekrar şehir merkezine ulaşır. O zamanlar, tamamen konsantre olmuşlardı ve bu mütevazı ve sakin kasabada eğlenmeye kararlıydılar. Ev sahibinin rehberliğinde, üç blok sonra ve birkaç geçişten sonra kasabanın kültür evine varırlar. Tesadüfen, bu öğleden sonra halka açık bir gösteri vardı. İçeri giriyorlar, mütevazı bir yığma bina, dar, kötü durumda, ama olayın tam yerinde muhteşem.

Diğer insanlarla birlikte "Bacamarteiros" tarafından yapılan bir sunumu izleme fırsatına sahip olurlar. Gösteri, bir çavuş tarafından koordine edilen ritmik hareketlerden oluşuyor. "Xaxado" nün sesi sekiz baslı akordeon, tabaklanmış deri "zabumba" ve üçgen tarafından yapılır. Kostümlere gelince, gösterinin üyeleri mavi pamuklu giysiler, boyun atkısı ve kurşun kesesi giyiyor. Bir diğer merak konusu ise komutanların baston ya da şemsiye dışında omuzlarına ve şapkalarına yıldız takmaları.

Yaklaşık otuz dakika boyunca, silahların ateşlenmesiyle sona eren sunumdan memnun kaldılar. Şans eseri kimse yaralanmadı. Kültür merkezinden ayrılıp kasaba sokaklarında yürüyüşe geri dönüyorlar.

Birkaç metre sonra Aldivan tekrar konuşuyor:

"Bize şehrinle ilgili başka ne göstereceksin Osmar.

"Beni takip edin beyler" diyor.

"Hadi gidelim çocuklar" diye kabul etti Rafael.

"Tabii" dedi Renato

Grup üyeleri ev sahibine eşlik ediyor ve merkezdeki birkaç caddeyi geçtikten sonra büyük bir hangarla karşılaştılar. Yaklaştıklarında, kapı aralık olduğu için, bir müzik grubunun yeri olduğunu anlarlar çünkü mekan müzik aletleri ve müzikle ilgili biblolarla doluydu. Ziyaretçinin sorgulayan bakışından önce Osmar açıklığa kavuşturuyor:

"Burası, halkın kültürel mirası olan Aziz Cecilia toplumunun merkezidir. Tesadüfen, prova zamanı geldi. İçeri girelim arkadaşlar.

Daveti kabul eden Osmar'ın arkadaşları, müzik nedeniyle birçokları için kutsal olan bölüme girerler. Beklendiği gibi, beş müzisyen enstrümanlarını akort etti, mevcut halkı selamladı ve güzel bir senfoni çalmaya başladı. Müziğin dingin melodisine dalmış olan her biri, anın büyüsünün bir kısmını hissediyor. Kendilerinin görebildikleri ses sayesinde Rafaelle acılarının hafiflediğini hissediyor, Bernadette Sousa umutlu hissediyor, Renato umut verici bir gelecek düşünüyor, Rafael Yüce Tanrı'ya olan hayranlığını, Uriel koruyucusuna olan bağlılığını hatırlıyor ve son olarak, hepsinin en hayalperesti engelleri, başarısızlıkları, galibiyetleri ve karşılık gelmeyen aşkları hatırlıyor. "Ben" olmadan önce normal bir insandı ve şu anda temsil edilen müzik "Sensiz Ben" idi. Mevcut sunumla hiçbir ilgisi olmasa bile, kafasını yumruklayan, bir günün umutlarını artıran, onu hak ettiği gibi isteyen ve gerçekten seven biriyle tanışmak buydu. Yazıldı!

Senfoni biter. Bu, yedi arkadaştan bir alkış fırtınasına neden olur. Alçakgönüllülük gösteren müzisyenler sahneden iner ve her birini selamlar. Kendilerini tanıtırlar ve amaçlarından bahsederek bir süre sohbet ederler. Orada herkes tam mutluluğu hak ediyordu, çünkü RAB insanları bu şekilde yarattı.

Bir süre sonra müzisyenler işlerine geri dönerler ve diğerleri hana geri dönmeye karar verirler. Onlarla birlikte, günahlarının bedelini ödeyen dengesiz ve hasta bir adam olan Osmar da vardı. Hayatına yeniden başlama şansı gerçekten var mıydı? Yoksa kaybedilmiş bir dava mıydı? Sonraki sahneleri kaçırmayın.

Grup hana varır. Osmar'ı ağırlamak için evrak işlerinden sonra mutfağa giderler ve diğer misafirlerle birlikte akşam yemeği için hazır olan yiyeceklere yardım ederler. Yirmi dakika yemek yiyerek, konuşarak ve sessiz kalarak geçirirler.

Akşam yemeğini bitirdikten sonra, akşam boyunca başka aktivitelere başlarlar: TELEVİZYON izlemek, yıldızlı gökyüzüne hayran kalmak ve sonunda dua etmek. Tam saat onda, tamamen anlaşarak, yolculuktan yorulduklaları için uyumaya karar verdiler. Ve böylece, yapıyorlar. Her biri kendi yatak odasında endişeleri unutmaya ve hayal dünyalarına dalmaya çalışır. Bu noktada, herkesin "Ben-im" i sürekli aktifti. Bir sonraki bölüme kadar herkese iyi geceler.

Güzel bahçe

Gece gittikten sonra, şafak gelir, değerli kişiliklerimiz için iyi rüyalar ve kabuslar arasında gidip gelir. Yakında, gün ağar ve kendilerini hayatta kalanlar olarak görürler. Teker teker kalkar, banyo yapar, dişlerini fırçalar, temiz kıyafetler giyer ve hanın yemek salonunda kahvaltı yapmaya giderler. Amaç, yolculuğun bir sonraki aşamasına hazırlanmaktı.

Kalabalık bir aile olarak yemek odasında bir araya gelirler. Her birinin tercihine göre tapyoka, buğday ruloları, bisküviler, tahıl gevrekleri, yoğurt, meyve ve meyve suyunda servis edilir. Onlar yemek yerken, sohbet kolay akar.

"Nasıl hissediyorsun dostum, daha iyi misin? (Kâhin)

"Evet. Sadece seninle olmak bile beni daha mutlu ediyor. (Ömer)

"Ne kadar iyi. Her şey için bize güvenin. (Kâhin)

"Teşekkür ederim. (Ömer)

"Valilikteki pozisyonunuz neydi? (Renato)

"Sektörümün şeflerinden biriydim. Tüm projeler benim eleğimden geçmek zorunda kaldı. (Ömer)

"Büyük güçler, büyük sorumluluklar. Seni anlıyorum ve bu tür bir pozisyonu asla kabul etmeyeceğim. (Renato)

"Ben de değil. Ama bana zaten yüksek ücretler hayal ettiğini söyledin mi? (Kâhin)

"Evet. Ama herhangi bir şeyin şefi olmaktan kaçınmak istiyorum. Hiyerarşi ile ilgili sorunlarım yeterli. Hala babamla geçirdiğim zamanın izlerini taşıyorum. (Renato)

"Tamam. (Kâhin)

"Sorun neydi, Renato? (Ömer)

"Çok otoriterdi ve bana her gün kötü davrandı. Bu yüzden evden kaçtım ve bayan beni evlat edindi. (Renato'yu açıkladı)

"Çok üzgünüm. Ben de buna benzer bir şey hissettim. (Ömer)

"İktidarla ilgili sorun, birçok insanın başka hiçbir şey göremeyecek kadar ona hayran olmasıdır. (Rafael)

"Başıma gelen buydu. (Ömer)

"Peki, böyle bir deneyim yaşadıktan sonra, muhtemelen aynı durumda olacak diğer insanlara ne tavsiye edersiniz? (Bernadette Sousa)

"Ben kimim ki öğüt vereyim? Ama sorun değil. Kurumların, ortamın yönetimini, pratik sorunları, etik ve idareyi içeren kapsamlı bir eğitim vermelerini tavsiye ederim. İtiraf etmeliyim ki, biraz içerikten ve doğrudan görüşten yoksundum. (Ömer)

"Ve diğer probleminize gelince, nasıl başladı? (Rafaelle Ferreira)

"Çok iyi bilmiyorum. Sadece bunun olduğunu biliyorum. (Ömer)

"Seni anlıyorum. Günah, her gün bizi izleyen, en ufak bir kaymayı bekleyen bir hayvan gibidir. Baba ile tam bir birlik içinde değilsek, ayartılmaya ve günaha düşeriz. Osmar, dokunmamı ister misin? Böylece seni daha iyi tanıyabilirdim. (Tanrı'nın oğlu)

"Dokun bana? Nasıl çalışır? (Ömer)

"O görücüdür ve dokunuşla geçmişimizi, bugünümüzü ve geleceğimizi görebilir, en içteki endişelerimizi hissedebilir. Bu bir vaftiz gibi," diye açıkladı Rafaelle Ferreira.

"Ah, çok iyi. Rahat ol dostum. (Ömer)

Aldivan kalkar, sevgili arkadaşının yanına gider. O sihirli zamanda, cildini partnerinin cildine sürterek önemli bir şeyin olmak üzere olduğu hissine kapıldı. Yeterli mesafeye ulaştığında kolunu uzatır ve minik karnına dokunur. Sonra hikâye ortaya çıkıyor:

"Osmar, Sanharó Belediyesi'nin finans bölümünün şefi. Şef olarak sorumlu, katı ve otoriterdir, bu son özellikler iyi işaretlenmiştir. Kasaba sektörünün muhteşem bir komuta başlangıcından, çelişki ve yolsuzluk içinde düşmeye başlar. Hukuka hileli teklifler ortaya çıkmaya başladı, rüşvet almaya başladı. Her sürçmesinde, karanlık varlığının içinde sağlamlaşıyor ve genişliyordu.

Şubat 2007'nin güzel bir sabahında, tam olarak yedinci günde, ofisinde yeni yeminli valilik çalışanlarını kabul ediyor. Bunlardan biri, en büyük amacı dünyayı fethetmek olan hevesli bir yazar olan Aldivan'dır. Tanıştıkları andan itibaren karşılıklı bir dostluk gelişir.

Günler iş, sosyal aktiviteler ve boş zaman arasında geçiyor. İş yerinde, anlayışlı bir şef olarak, iş molalarında Aldivan'ın ilk kitabının yazılmasını sağlar. O çocuk ne kadar özeldi, tüm alçakgönüllülüğüne rağmen hala daha iyi bir dünyaya inanıyordu, onun durumu ne değildi? Yolsuzluğun ortasında kaldı ve küçüklerle ilişkisi olduğu durumlarda içindeki şeytanların hareket etmesine izin verdi. Farklıydılar ve aynı zamanda insan olarak eşittiler.

İki ay sonra, Aldivan iş, mesafe ve üniversitedeki çalışmaları uzlaştıramadığı için ayrıldılar. Gerçekten üzücüydü, çünkü kim bilir, bir arada yaşamasıyla birlikte değişmiş olabilir, yanında bu kadar değerli birinin olması. Ancak, öyle yazılmıştı.

Zaman geçti, suçlar işlenmeye devam etti ve soruşturuldu ve ortaya çıkarıldı. Valilikteki görevini kaybetmesinin yanı sıra, bir süre hapis yattı. Serbest bırakıldıktan sonra eve döndü ve birikimleriyle yaşamaya başladı. Yaşlı olduğu ve çok para biriktirdiği için iş aramamaya karar verdi ve birkaç arkadaşı ve çalışanlarıyla tek taş hayatına başladı. Ta ki güzel bir günde, Aldivan ve arkadaşlarıyla yeniden karşılaşana kadar, yaşamda bir değişiklik ve babanın affını vaat edene kadar. Sonunda sonuçları almayı umarak bir yolculuğa katılma davetini kabul etti."

Görücü elini çeker ve kayıtsız bir bakışla konuşmaya başlar:

"Sana yardım etmek için buradayız Osmar. Ütopya olduğu için anında başarı ve mutluluk vaat etmiyoruz, ancak amaçlarınıza büyük bir bağlılık vaat ediyoruz. Burada biz kardeşiz, arkadaşız ve suç ortağıyız. İçiniz rahat olsun!

"Teşekkür ederim usta. Şu andan itibaren, en kararlı elçiniz olacağım. Başarıya doğru kardeşlerim! (Ömer)

"Amin! (Renato)

"Takıma hoş geldin! (Rafaelle Ferreira)

"Sizin acılarınız bizim de acılarımızdır! (Bernadette Sousa)

"Bana güven, insan! (Uriel)

"RAB baba bu anlaşmayı kutsasın! (Rafael)

"Maktub! Zaman baskıları için seyahat edelim. (Aldivan)

Diğerleri itaat eder ve toplanmak için kendi odalarına giderler. Her şey hazır olduğunda tekrar buluşurlar ve sokaklara çıkarlar. Bulundukları merkezden otobüs durağına yürüyerek on beş dakika sürdüler ve olaysız bir şekilde kaplandılar. Otobüs gelene kadar bir süre beklerler ve sonra otobüse binerler.

Düz bir çizgide yaklaşık 14,7 km (on dört kilometre ve yedi yüz metre) uzaklıktaki Güzel bahçe kasabasına doğru yola çıkıyorlar. Ancak, karayoluyla otuz kilometreydi ve otuz dakikada kat edildi.

Bu arada, sohbet etmek ve sonuç olarak diğer yolcularla arkadaş olmak için avantaj sağlarlar. Gezinin sonunda, demokratik bir haklar devletinin karakteristiği olan farklı hedefleri ve çeşitlenen görüşleri tartışıyorlar. Eşsiz olmak ne kadar güzeldi ve her biri bunun bilincindeydi.

Kasabaya vardıklarında, ulaşım onları otoyolda bıraktı ve oradan onları mütevazı ve ucuz bir hana götüren bir taksi kiraladılar. Adı Mavi Gökyüzüydü ve orada rezervasyon yaptırdılar, otuz dakika içinde ana alanda buluşmayı ayarladılar ve bu arada biraz dinlenmeye çalıştılar. Kâhin ayrıca gizemli bir telefon görüşmesi yapar.

Ayarlandığı gibi, tartışılan zamanda ve belirlenen yerde buluşurlar. Bir daire oluştururlar ve sonra ilk konuşan görür:

"Dostlarım, size bir sürprizim var. Olağanüstü bir insanla tanışmak üzeresiniz ve...

Sözünü bitiremeden Aldivan, kendisine doğru gelen adımların sesiyle kesintiye uğrar. Otuz yaşlarında, doğuştan dövülmüş güçleri, bacakları, kolları ve deforme olmuş karnı, sağlam ve güçlü yüz hatlarına sahip Siyah ve sağlam bir adamdı. Birkaç saniye içinde yaklaşır ve kendini onun yanına yerleştirir. Aldivan daha sonra şöyle açıklıyor:

"Ben Manoel Pereira, popüler Maneco, onunla kader bir hafta sonu kaçamaklarımdan birinde tanıştım. Onunla gettoda, suçlularla birlikte, uyuşturucu satan ve tüketen suçlularla tanıştım. Nasılsın dostum?

"Aynı. Ya sen?

"Ben bir yazar oldum ve size bir ittifak öneriyorum. (Aldivan)

"Ne? Günaydın çocuklar. Hepinizle tanıştığıma memnun oldum. Adın ne? (Manoel Pereira)

"Benim adım Bernadette Sousa. Ben Mimoso'luyum ve kürtaj oldum.

"Ben Arcoverde 'den Rafaelle Ferreira, depresyondan muzdaribim.

"Ben Sanharó'dan Osmar, bir dolandırıcı ve sübyancıyım.

"Renato, ayrılmaz maceraların kâhinin yoldaşı.

"Rafael Potester, ilk büyüklüğün meleği.

"Uriel Ikiriri, kâhinin koruyucu meleği.

"Senin hayatını benim ve babamın gücüyle değiştirmek istiyorum. Hala sana inanıyoruz. (Tanrı'nın oğlu)

"Nasıl? Artık hayatım yok. İçimdeki her şey uyuşturucu, suç, sapkınlık ve yalan etrafında dönüyor. Ben artık insan değilim; Ben bir ibriktarım — diye hayıflandı Manoel Pereira.

"Hayatını ve duygularını biliyorum ve sana hala umut olduğunu söylüyorum. Sorunlarınızı bana güvenle verirseniz, yaptığınız her şeyin geride kalacağını garanti ederim. Evet demek yeterlidir ve imkansızın Tanrısı harekete geçecektir! (Aldivan)

Manoel Pereira, biraz düşün. Ne diyordu o deli? Gettoda saldırmaya çalıştığı zavallı silahsız çocuk muydu? Elinde iken merhamet dileyen, sefaletine acımasını sağlayan kişi miydi? Şimdi ona nasıl yardım edebilirdi?

Küçümseyen bir bakışla sorar:

"Ne sunmanız gerekiyor?

"Sorunları olan insanların yanında yeni bir dünya göstermek istiyorum ve birlikte Tanrı'nın bizden ne istediğini keşfedeceğiz. Başarının anahtarı birlik ve anlayıştır ve bunu hiçbir yerde bulamazsınız. Dünya size sadece ahlaksızlık, yolsuzluk ve ölüm sunarken, ben, babam ve arkadaşlarım yaşam, mutluluk, bilgi ve hepsinden önemlisi sevgi sunuyoruz. Hiç yaşamadığın aşk. (Tanrı'nın oğlu)

Aldivan'ın sözleri bir uyarı işlevi gördü. Kesinlikle iyiydi. Dünya ona iyi bir şey teklif etmemişti ve mucizevi bir çıkış yolu göremediği için karar verdi.

"Sorun değil. Ne zaman başlıyoruz?

"Hemen şimdi. Çantalarınız nerede? (Aldivan)

"Hiçbir şeyim yok. Her şeyi çaldılar. (Manoel)

"Sana biraz kıyafet ödünç vereceğim. Merak etme. (Ömer)

"Teşekkür ederim. (Manoel)

"Ben de. Hiçbir şeyi kaçırmayacaksınız. (Kâhin)

"Çok iyi. (Manoel)

"Hoş geldiniz. (Renato)

"Doğru kararı verdin. (Rafaelle Ferreira)

"Ben ve kardeşim seni her şeyden koruyacağız. (Rafael)

"Tanrı sizi aydınlatsın. (Uriel)

"Arkadaşımızla rehber olarak yürümenizi öneririm. (Bernadette Sousa)

"Tabii, rahat. (Manoel)

"Hadi gidelim. (Tanrı'nın oğlu)

Herkes itaat ediyor, çıkışa yöneliyor, kapıdan geçiyor ve sokaklara çıkıyor. O vahşi kasabada onları ne bekliyordu?

Gettoda

Grubun üyeleri merkezden güneye doğru yürürler. O zamanlar trafik oldukça yoğun, arabalar sürekli gidip geliyor. Bir, iki, üç caddeyi geçiyorlar, kırmızı sinyal açıkken bile her geçişte büyük zorluklar yaşıyorlar. Buna rağmen, her şeyle iyi bir ruh hali içinde yüzleşirler.

Onları harekete geçiren nedir? Başlıca nedenler arasında dostluk, dostluk, bilgiye susamışlık ve karşılıklı empati vardı. Böyleydi, çünkü onlar kardeşten daha fazlasıydılar, her zaman yoldaştılar, dördüncü aşamada olan tüm zamanların en büyük edebiyat dizisi olan kâhin dizisinin ekibini oluşturuyorlardı.

Daha önce yaşadıkları her şey, adanmışlık ve inancın ana teller olduğu şimdiki anın temelini oluşturuyordu. Başarısız olabilirler mi? Evet. Ancak korkunun cesaret ve umuttan daha büyük olmasına izin vermezlerdi. Kaybedebilirler, ama denemeden önce değil.

Şu anda grup, Tanrı'nın oğlu Renato, iki baş melek, depresif bir kadın, bir kürtajcı, bir sübyancıdan oluşuyordu. Tüm insan pislikleri oradaydı ve sürekli olarak Tanrı'nın göğsünde durup cevapları bekliyordu. Ve daha da ilerleyeceklerdi.

Başları dik durarak bir cadde daha geçecekler ve Boa Vista semtindeki Umberto Siqueira Caddesi boyunca dümdüz gideceklerdi. Yolun sonunda, birkaç evden oluşan küçük bir getto var. Manoel onları uyuşturucu tükettiği ve kaçakçılığını yaptığı yere götürür. Neyse ki geldiklerinde orada kimse yoktu. Sonra konuşuyor.

"Burası benim yalnızlık ve sefalet kalem. Aynı anda hem savaşan hem de acı çeken şey biliyor musunuz? İlacın aile babalarına sağlanmasına yardım ettiğimde böyle hissettim.

"Biliyorum kardeşim. Tüm bunları geri gelmeyecek olan geçmiş olarak düşünün. Ben ve babam sizi kabul etmek için kollarımızı açıyoruz. (Tanrı'nın oğlu)

"Buna çok inanmak istedim ama... (Manoel)

"Şüphelerin var mı? Bu anlaşılabilir bir durumdur. (Rafael)

"Şüphe etme. Aldivan dediğini yapabilir. Bunu söylüyorum çünkü onu bebekliğinden beri tanıyorum. (Uriel)

"Onun yanında yaşadıklarımdan bahsedebilirim. Onu beş yıldır tanıyorum ve hiçbir zaman onda kötülük sezmedim. Aldivan Torres olarak adlandırılan güvenilir biri varsa, nefret, bencillik, kibir, yalan, öfke, gurur, lüks, onun için bilinmez. (Renato)

"Aldivan ve diğerleriyle Arcoverde 'de, kurtuluş katedralinde tanıştım. Acımda, ilk başta kabul etmeyi reddetmesine rağmen, onun büyük kalbini algıladım. (Rafaelle Ferreira)

"Aldivan'ı bir süredir tanıyorum. Bölgede, kahinin maceralarını kim bilmiyor? Herkese sebat ve bağlılığın sembolü haline geldi. Aldivan, büyüklüğüne rağmen, bizi dost olarak kabul ederek harika kalbini gösterir. Bu şekilde davranır, çünkü insan sefaletini çok iyi bilir, kendisi de hissetmiştir. O benim güvenime sahip. (Bernadette Sousa)

"Tanıştığımız Aldivan'dan hatırladığım şey, hedeflerine olan bağlılığı ve inancıydı. Hak ettiği seviyeye ulaşamadığı için asla umutsuzluğa kapılmayan büyük bir hayalperest. (Ömer)

"Görüyor musun kardeşim? Korkma. Her şey geride kaldı ve tek amacım seni mutlu, ahlaksızlıktan arınmış görmek. Beni kabul ediyor musun? (Tanrı'nın oğlu)

"Evet. Senin elçin olmak ve seni daha iyi tanımak istiyorum. (Manoel Pereira)

"Çok iyi! O zaman biraz kendini görmeme izin ver. (Tanrı'nın oğlu)

"Rahat olun efendim. (Manoel Pereira)

Aldivan birkaç adım atıp yanına gidiyor ve ona dokunduğunda dünya durmuş gibi görünüyor. Görünen vizyon:

"Manoel, güzel bahçenin merkezinde yaşayan orta sınıf bir ailenin çocuğu olarak dünyaya geldi. Küçüklüğünden beri, sevgili ebeveynleri onu kollarını açarak karşıladı, tüm maddi yardımı ve hassasiyeti de verdi. Yavaş yavaş küçük çocuk büyük bir hızla büyüyor. Yürümeye, ilk yaramazlıkları yapmaya ve sosyal ortama entegre olmaya başladı. Özellikleri iyi huylu ve sessiz bir çocuktu, ama çok meraklıydı. Bu son sıfat onu her zaman harekete geçiren şeydi. Bu onun kurtuluşu mu yoksa mahvı mı olacaktı?"

Gören elini çeker. Vahiy zamanı henüz gelmedi. Yüzünde bir gülümsemeyle diğer meslektaşlarına sesleniyor:

"Her şey yolunda. Hadi buradan çıkalım. Belediyede nereyi ziyaret etmemizi önerirsiniz, Manoel?

"Bana bırak. Takip et beni! (Manoel Pereira)

Bulunduğumuz gettodan merkez üzerinden aynı yöne döndük ve bir süre sonra kasabanın ana kavşağına ulaştık. Caddelerden birinin sonunda, on beş kişilik bir araç kiraladık ve Osmar mekanın talimatlarını veriyor: Yayıcı.

Yola çıkıyorlar. Merkezden ana yola çıkıyorlar ve bir süre kasabanın içinden geçtikten sonra toprak bir yola giriyoruz. O andan itibaren yolun kötü durumundan dolayı hız yavaşlar. Yolda Muquém'in yamaçlarından indik, Jacinta dağının, Araca'nın yamacının, Flexeiras bölgesinin yanından geçtik ve Koyu tenli taşına vardığımızda Manoel arabanın durması için bir işaret veriyor. Araçtan indik ve rehberin öncülüğünde yürüyerek bir rota yürüdük. Rota dikti ve zayıf bedenlerimizden çok şey talep ediyordu.

Yaklaşık yirmi dakika sonra, Koyu tenli 'nün büyük kayası olan güzel bahçe turistik noktalarından birindeyiz. Manoel ona yaklaşıyor, onu takip etmemiz için bir işaret yapıyor, üzerine oturduk ve bize bir hikâye anlatıyor:

"Burası benim için özel bir yer. Ailem beni hafta sonları buraya getirirdi ve onlardan birinde iyi bir adam olacağıma dair bir söz verdim. Ne yazık ki tutamadım.

"Özel yerim erkek arkadaşımın yakınındaydı. Birbirimize sonsuz aşk sözü veriyoruz. Ancak, bana karşı dürüst değildi" Rafaelle Ferreira'yı açıkladı.

"Özel yerim ailemle birlikte evimdi. Ancak en çok ihtiyaç duyduğumda bana sırtlarını döndüler. (Bernadette Sousa)

"Sevdiğim yer işimdi. Bu arada her şey hayal ettiğim gibi olmadı. (Ömer)

"Benim kutsal yerim Ororubá dağı. Üvey annemle birlikte ve eşim kâhinin desteğiyle başarılı bir genç adam oldum.

"Benim yerim baba yanıdır. İnsanlığa olan büyük sevgisini göstererek, onlara yardım etmem için beni buraya gönderdi. (Rafael)

"En sevdiğim yer, hayallerini kucaklayabileceğim ve yatıştırabileceğim kahinin yatağıdır. Benimle her zaman korunur ve sevilir. (Uriel Ikiriri)

"En sevdiğim yer, babamla konuşabileceğim sessiz bir yer. Bu zamanlarda onun büyük sevgisini hissediyorum, devam etmem için bana yakıt veriyor. (Kâhin)

"RAB ile konuşuyor musun? O zaman bana son bir şans vermesini iste. (Manoel Pereira)

"Bunu anlaması için onunla konuşmama gerek yok. O her şeyi biliyor. Dediğim gibi, ismime ve size olan sevgimize güvenmeniz yeterli. (Kâhin)

Manoel Pereira, ustasının sözlerini analiz eder ve sonunda aptal olduğunu anlar. Tanrı her şeyi planlamıştı ve bunun kanıtı, geçmişte kurbanı olan garip genç adamla yeniden karşılaşmasıydı. Hayat ve tesadüfleri. Zaten birçok dönüş yapmıştı, artık onu şaşırtmıyordu. Denemeye karar verir.

"Öyleyse beni daha iyi tanı ve bana öğret, Tanrı'nın oğlu! Zihnimin karanlığını ışığınla ört.

"Yapacağım. (Tanrı'nın oğlu)

Bu, kâhin kalkar ve elçisinin yanında kalır. Suç ortaklığı bakışlarıyla, geçmişte kötülüğün aracı olarak hizmet eden ellerine hafifçe dokunur. Kısa bir vizyonu var:

"Manoel büyüdü. Okula, sosyal ve dini etkinliklere gitmeye, yürüyüşlere ve bazı ev işleri yapmaya başladı. Anne babasının çabalarının meyvesi olan görgü kurallarının vazgeçilmez bir örneğiydi. Ancak, daha önce söylendiği gibi, meraklı

ve huzursuzdu. Okulda, daha büyük çocuklarla temas halindeyken, onu seks, içki ve uyuşturucu dünyasıyla son derece erken tanıştırırlar. Ailesi ne yapacağını bilemediği için onu okuldan aldı ve eve kilitledi. Bu, çocuğun hayatındaki ilk hayal kırıklığına neden oldu."

Gören elini çeker. Tam o anda yer sarsılıyor, mavi gökyüzü bulutlu ve karanlık oluyor ve anında felç olmuş gibiydiler. Sol taraftan, siyah kanatlı üç güçlü melek ve sağ taraftan, ayrıca üç iyi silahlanmış koruyucu belirir. Geçen her an ve yaklaştıkça, karşıt güçler ve ruhun karanlık gecesi sert bir şekilde çarpışıyordu.

Çıkış yolu yoktu ve insanlar hayatlarını riske atarken savaş kaçınılmazdı. İşte o zaman kutsal ruhtan ilham alan Tanrı'nın oğlu şu duayı okur: **"Seni harekete geçmeye çağırıyorum, ey Rab. İşte, çocuklarınız pusuya düşürüldü ve güçlü düşmanlar saldırmayı bekliyor. Mümkün olan tek kurtuluş senden geliyor, RAB babam. Halkını kölelikten kurtaran, bakireyi gebe bırakan ve oğlunu dünyaya gönderen sen. Azizlerin merhametiyle, üstün kardeşimden ve kendimden yalvarıyorum. Büyük sevgin için sana yalvarıyorum."**

Duayı bitirir bitirmez melekler ve muhafızlar hemen güçlerini kaybettiler. İnsanların hareket etmesine izin vererek kendi dünyalarına geri döndüler. Rafael Potester ve Uriel Ikiriri onları yakalar ve arabaya doğru uçarlar. Güvendeydiler. Tekrar araca binerler ve ardından serpme makinesine doğru yola çıkarlar. Dahası, oldukça yakındılar.

Sola dönüyorlar ve biraz ileride fotoğraf çekmek için tekrar Tabocas kanalının önünde duruyorlar. Bittiğinde, yolculuğa yeniden başladılar. Bir süre sonra araba daha ileri gidemediği için durur. Yaya olarak devam ediyorlar ve biraz ileride Tabocas nehrinin akıntıları üzerindeki bir üst geçidi geçiyorlar ve hızlıca bir şeyler atıştırdıkları bir atıştırmalık bara varıyorlar. Daha sonra, akıntıya varana kadar patikayı takip ederler.

Grup, yayıcının kıyısında toplanır. Kayaları, göletleri, suları ve doğal oluşumlarıyla kaderin birleştiği büyüleyici bir yer. Bu mucizenin önünde, inanılmaz bir Tanrı'ya karşı her zamankinden daha büyük bir hayranlık kaldı. Onları çocuk olarak gören bir Tanrı.

Gören, dereden bir yudum su içtikten sonra öğretmeye başlar:

"Dünyanın en güzel noktalarından birindeyiz. Doğa bilgedir ve yaratıcısı da öyledir. Bundan öğrenmemiz gereken şey, ancak kahramanca bir çaba ve risk alma isteği ile ulaşılan mutlu olmanın özüdür. Hazır mıyız?

"Öyle olduğuma inanıyorum. Seninle tanıştığımdan beri Tanrı'nın yolunu öğrenmeye çalışıyorum. (Renato)

"Hazır olmak ya da olmamak bir hazırlık meselesidir. Ruhlar dünyasında en saygı duyulan en güçlü değil, en bilge ve saf kalptir. (Rafael)

"Ve kesinlikle senin bilgeliğinin rehberliğinde oraya varacağız. (Uriel)

"Ben de buna inanıyorum. Hepinizden biraz öğreniyorum, birçok fayda sağlayan şey. İnançla oraya ulaşacağız. Dışarı, depresyon! (Rafaelle)

"Risk almaktan başka çaremiz yok. Umarım her şey yoluna girer. (Bernadette Sousa)

"Arkadaşım beni her zamankinden daha fazla etkiliyor. Biz birlikteyiz! (Ömer)

"Sen inanılmazsın! (Felipe, şoför)

"Usta, sana inanıyorum ve yeni bir aşamaya hazırım. Buradaki doğa gerçekten çok güzel ve çocukken bana her zaman ilham verdi. Öyleyse bana dokun ve sırlarımı açığa çıkar. "Ben" tamamen seninim. (Manoel Pereira)

Gören, astlarının istekliliği ve bağlılığı ile duygusallaşır. Sorunlarla, sefaletle ve kayıtsızlıkla dolu genç adamın kazanacağını kim söyleyebilirdi? Tanrı'nın hayatında yaptığı şey gerçekten harikaydı ve karşılığında evrene karşı sevgiyle karşılık verecekti. Şimdi elçileri, arkadaşları ve kardeşleriyle birlikte oradaydı. Maceralarda bir ortak, iki baş melek, depresif bir kadın, bir kürtajcı, bir sübyancı ve bir uyuşturucu bağımlısı ve insanlığın geri kalanı tarafından basitçe görmezden gelinen, küçümsenen ve önyargılı olan bir arkadaş. Ancak, o ve babası farklıydı. Onları diğerleri gibi sevdiler, onlara bir şans vermeye karar verdiler ve çok fazla sevgi gösterdiler, çünkü iyi affedilen kişi tamamen mutlu olur.

Sağduyulu bir gülümsemeyle Manoel'e yaklaşır ve yanındayken, hızlı bir suç ortağı bakışından sonra koluna dokunur. İşte vizyon:

"Manoel hayatına devam etti. Zamanla, o zamanki genç adam bir yetişkin oldu ve sonuç olarak ebeveyninin güvenini yeniden kazandı. Çalışmalarına ve sosyal aktivitelerine normal olarak yeniden başladı. Ancak, önceki deneyim bir ders olarak hizmet etmedi. Uyuşturucu dünyasına ve dolayısıyla suçluluğa geri döndü. Ailesi bunun farkına vardığında, başka bir aldatmaca yaşadılar ve sert bir karar verdiler. Sonuç: Evden sonsuza dek kovuldu, sokaklarda uyumaya başladı ama şikâyet edemedi. Sevdiklerinin güvenini suistimal etmişti."

Görücü kolunu alır ve hemen elçisiyle konuşur.

"Olan her şeyi biliyorum. "Bir kez hata yapmak insandır, iki kez asinin" diyen eski bir söz vardır, ama ben buna katılmıyorum. Seni anlıyorum ve tam rehabilitasyona ulaşana kadar ihtiyacın olduğu kadar şans vereceğim. Bunu yapıyorum çünkü babam ve ben seni seviyoruz.

"Sana ve diğerlerine nasıl teşekkür edeceğimi bilmiyorum. Şimdi beklentilerim var diyebilirim. (Manoel)

"Ne kadar iyi! Bana teşekkür etme. Çok daha fazlasını hak ediyorsun. Pekâlâ, gitme zamanı. Acıktım ve öğle yemeği yemek istiyorum. Atıştırmalık bara tekrar uğramaya ne dersiniz? (Tanrı'nın oğlu)

"Ben de katılıyorum. (Manoel)

"Ben de açım. Ya siz, çocuklar? (Renato)

"Evet (tamamen)

"Hadi gidelim o zaman. (Tanrı'nın oğlu)

Tanrı'nın oğlu tarafından yönetilen Melekler ve insanlar yayıcıdan ayrılır ve atıştırmalık bara geri dönerler. Mesafe kısa olduğu için onlardan çok az çaba ve zaman gerektirir.

Mekânda, az alan, ahşap masalar, raflı ve tezgahlı tek bir oda ile karakterize edilen bölgeden tipik bir atıştırmalık bar, menüyü inceliyor ve manyok ve kuru et sipariş ediyorlar.

Konuşmak ve gülmek arasında bir süre beklerler. Yemek servis edildiğinde, yemeye ve eskisi gibi yapmaya başlarlar.

"Sevgili Güzel bahçem hakkında ne düşünüyorsun? (Manoel)

"Onu seviyorum. Kentsel alan çok meşgul ve kırsal geniş ve güzel. Kasabam Arcoverde'ı biliyor musun? (Rafaelle)

"Evet. Orada birkaç kez bulundum. Taşranın bir kutbudur. Tebrikler. (Manoel)

"Teşekkür ederim. Aynı şey. (Rafaelle)

"Mimoso 'da yaşıyorum ve kırsal bölgeyi sevdiğimi söyleyebilirim. Kuzeydoğumuz gerçekten çok güzel. (Bernadette Sousa)

"Evet dostum. Bu Brezilya'nın her bir küçüğü gerçekten ünlü" dedi.

"Kendimize, kültürümüze ve mevcut çeşitliliğe değer vermeliyiz. Var olan her şey babamın ve bizim sorumluluğumuzdadır. (Tanrı'nın oğlu)

"Dünyaların nasıl, Rafael? (Meraklı Renato 'ya sordu)

"Manevi dünya, kelimelerle tarif edilemeyen sonsuz boyutlardan oluşan bir komplekstir. Sadece bedensiz olduğunuzda bunu görebilirsiniz ve bence bunun bu kadar çabuk olmasını istemezsiniz. (Rafael)

"Kesinlikle. Hala yaşayacak çok şeyim var. (Renato)

"Önemli bir ortak olan, dünyamız ve şimdiki zamanımızdır. Onunla geleceğimizi inşa edeceğiz" Tanrı'nın oğlunu öğretti.

"Tamam. (Renato)

"Bilge sözler. İş yerinde tanıştığım hayalperest gibi bile görünmüyor. Sen daha olgunsun — Osmar'ı kaydetti.

"Evet. Ama hayalperest olmayı bırakmıyorum, çünkü hayalsiz yaşamıyoruz. Ne Maktub! (Kâhin)

"Bu benim çırağım - dedi Uriel

Sohbet yemeğin sonuna kadar canlı bir şekilde devam eder. Sonra hesabı öderler, bir araya gelirler ve hemen yola çıkmaya karar verirler. Dışarıda, ana patikayı takip ediyorlar ve kısa bir süre sonra, bin sekiz yüz metre ileride, üst geçidi tekrar geçiyorlar. Diğer tarafta bir arabaya binip kasabaya doğru gidiyorlar. Dönüşte onları yeni maceralar bekliyor.

Otuz kilometrelik toplam mesafe makul bir sürede kat edilir. Yolda sohbet etmek, oynamak, manzaraya hayran olmak ve etkileşim kurmak için zamanları oldu. Her seferinde daha fazla bağlandılar ve istediklerine ikna oldular. Zaten harika bir aileydi.

Otopark hanın önüne park ediyor. İnerler, ücreti öderler ve macera arkadaşı Felipe'ye veda ederler. Arkasını döner ve eve doğru yola çıkar. Şoförlük mesleğine, yani geçimine devam edecek, diğerleri de huzur ve mutluluğu ve kendilerini bulma hayallerine devam edeceklerdi.

Arabadan hana giderler ve kısa sürede işyerine girerler. Akşamın başlangıcı olduğu için yoğun değildi. Ziyaretçiler çantalarını toplamak, biraz dinlenmek, banyo yapmak, konaklamayı ödemek, diğer misafirlere, mülk sahiplerine veda etmek ve otobüs durağı yönünde ayrılmak için avantaj sağlarlar. Bir sonraki hedef zaten tanımlanmıştır.

Bulundukları yerden, yakınında otobüs duraklarının bulunduğu üç blok ötedeki bir bölgeye gidiyorlar. Yolda yoğun trafikle karşılaşıyorlar, birkaç kez düz gidiyorlar ve virajları ve geçiş bölgelerini dikkatli bir şekilde geçiyorlar. Görücü komutandı ve tecrübesiyle diğerlerine rehberlik etti. Zamanın özünde olmasına rağmen, acele edemediler. Sabır, özveri, kararlılık, sadelik ve iyimserlik o zamanlar gerekli erdemlerdi.

Sonunda geliyorlar ve çok sayıda olduğu için aracı hızla dolduruyorlar. Herkes araca yerleştiğinde, mavi on iki kişilik bir Araba 2010 model, sürücü yola çıkıyor. Çoğunun bilmediği bir yer olan Tacaimbó kasabasına on altı kilometre uzaklıktaydı. Ancak korku, grubun ruh halinden ve merakından daha azdı. İleri savaşçılar!

Büyük bir sorun olmadan, yarı yolda ulaşırlar. Bu noktada Renato fizyolojik nedenlerden dolayı durmak istedi. Yakınlardaki bir çalının arkasında ihtiyaçlarını karşılarken, yolculuk arkadaşları arasında sahte bir şaka haline gelir.

"Renato ne yedi çocuklar? (Rafaelle Ferreira)

"Bizimle aynı. Birkaç stresli günden sonra isteksiz hissetmek normaldir. (Kâhin)

"Ah, biliyorum. (Rafaelle Ferreira gülüyor)

"Ben de değildim. Uygun olmazdı. (Bernadette Sousa)

"Katılıyorum. Erkekler daha kabadır ve aşağılanmaya dayanabilirler. (Ömer)

"Her zaman değil, dostum. (Tanrı'nın oğlu)

"Paylaşmak istediğin bir şeyi hatırlıyor musun, Tanrı'nın oğlu? (Uriel Ikiriri)

"Uriel, dostum Uriel, iyi tahmin ettin. Öğrenciyken, Salvador'a yaptığım bir gezide, yaklaşık yirmi saatlik bir dönüş yolculuğunu hatırlıyorum. Dönüşte kendimi iyi hissetmedim. Ayrıca, bir direğin yakınında durmaktan yararlandım, çantamda mendil yoktu ve utanarak, bana biraz ödünç veren seyahat arkadaşlarımdan biriyle konuştum. Otobüsten ayrıldım, karakola gittim ve tuvalete giden bir gardiyanın yardımıyla. Bazı zorluklarla ihtiyaçlarımı karşıladım, neredeyse tuvalete sıkışıp kaldım ama kazandım. Ortağım Renato 'ya olan şey bu ve onu tamamen anlıyorum "Tanrı'nın oğlunu tamamladı.

"Orada olmak isterdim. Çok komik. (Manoel Pereira)

"Şakanın poposu olan izleyenler ve aşağılayanlar için komik. Dürüst olmak gerekirse, insanları anlamıyorum. Vücudun ihtiyaçlarını karşılamada yanlış bir şey yoktur. (Rafael)

"Eğer bir baş melek olmayı anlamıyorsanız, biz ölümlüler bir yana. Ben de size öğretmekten zevk alacağım, yoldaş Rafael. (Tanrı'nın oğlu)

"Ben ve ordularım emrinizdeyiz, saygıdeğer hayalperest. (Rafael)

"Teşekkür ederim. Arkadaşlarımı görüyor musun? Kazanmak için her şeyimiz var. Babam ve hizmetkarları bir kez daha yanımızdalar ve her şey imkânsız ya da çılgınlık gibi görünse de söyleyecek bir şeyim var: Aradığınız şeyde kazananız. Bu şekilde, diğerleri gibi kazanacağımızı ve kaybedeceğimizi takip ediyoruz ve kaybederken atılan her adımı soğukkanlılıkla analiz etme fırsatımız olacak.

Bu bizi güçlendirecek ve inandığımız şeyde bizi gerçek şampiyonlar yapacak. Ütopyayı garanti etmiyorum, size, havarilere, arkadaşlara, yoldaşlara, koruyuculara, okuyuculara, nedenlerinize tam bir bağlılık ve yalnızca babanın verebileceği eşsiz bir sevgi garanti ediyorum. Birlikte miyiz? (Tanrı'nın oğlu)

"Evet. (Arabadaki herkes)

"Siz müjdeci misiniz? (Diye sordu şoför Martirio dos Santos).

"Hayır. Bizim için endişelenme. Biz gerçekten kaçak bir sınıfız. (Tanrı'nın oğlu)

"Oh, tamam. Yatıştırıldığını söyledi.

Bir dakika sonra Renato geri gelir. Bazıları kahkahalarını tutar ve ciddi kalır. Tacaimbó gezisi yeniden başlıyor. Daha önce de söylediğimiz gibi, yolun yarısındaydık. Kısa bir mesafe olduğu için, onu kat etmek için tahmini süre on dakikaydı.

Tahmini zamanda geldiler. İstekleri üzerine, sürücü onları bir otelin yakınına bırakır. Her zamanki evrak işlerinden sonra vedalaşırlar, ücreti öderler ve günün geri kalanında yorgun bedenlerini koruyacak binaya doğru yola çıkarlar.

Birkaç adımla giriş alanına erişirler, yaklaşırlar ve bankodaki resepsiyonistle konuşurlar. Sonunda üç oda ayırtıyorlar: Biri melekler için, diğeri kadınlar için, diğeri erkekler için.

Anahtarları alırlar ve bir süre sonra aynı yerde tekrar buluşmak üzere sözleşirler, sonra dinlenmeye çalışacakları odalarına giderler. Oraya vardıklarında, banyo yapmak, müzik dinlemek, TELEVİZYON izlemek, kitap okumak ve bir süre uzanmak arasında planlanan zamanı geçirirler.

Grup bir coşku ve rahatlama anı yaşıyordu çünkü her şey çok iyi gidiyordu. Bu, herkesin çabasının ve inancının bir sonucuydu. Bu maceranın sonunda gerçekten ne arıyorlardı? Hayatlarının buluşma noktasını, her birinin sahip olduğu ve kutsanmış İsa'nın geçmişte söylemeye cesaret ettiği "Ben'im" i bulmaya çalıştıklarını söyleyebiliriz. Sonuçların gelmesine izin verin.

Tahmini süreden sonra, odalarından ayrılırlar ve kararlaştırılanlara dini olarak uyarlar, çok güzel bir şekilde dekore edilmiş büyük odada buluşurlar (Resimler, perdeler, heykeller, bilgi posterleri, diğerleri arasında) ve ortak yazı masası, ortada ve sağ tarafta bilgisayar tezgâhı, hepsinin yerleştiği büyük bir kanepe gibi birçok mobilya parçası. Neyse ki yalnızdılar ve özgürce konuşabiliyorlardı.

"Dostlarım, önceki zorlukları düşünüyordum. Dizimin ilk bölümünde beni etkileyen şey, koruyucu hanımefendi, genç, hayalet, şimdi Renato adında yakışıklı bir genç adam olan küçük çocuk, Leydi Carmen, Christine, Binbaşı ve haksızlığa uğrayan Claudio ile karşılaşmamdı. İkinci aşamada, yine koruyucu kadın, Hindu, Renato, rahibe, kaptan Jackstone ve karısı, tüm korsanlar, kardinal günahlar ve "Ruhun karanlık gecesi" ile bir kez daha yüzleşmenin büyük zorluğu. Üçüncü aşamada, geçmişe dönüş, büyükanne ve büyükbabamın zamanı, iki laik mistik figür ve iki çağ arasındaki yüzleşme. Her şey bana "iki dünya arasındaki buluşmaya" ulaşmanın mümkün olduğunu gösterdi ve tekrar mutlu oldum. Dördüncü bölümde, babam Tanrı'n ve onun gerçek kişiliğini ortaya çıkararak dünyaya kurtuluşun kapılarını açıyorum. Amaç, büyük bir trajedinin yarasını alan devletin mali denetçisi Philippe Andrews'u kurtarmaktı. Onunla birlikte, sevgiye ve gerçek bir Tanrı'ya ihtiyacı olan birçok insanın hayatını ve anlayışını değiştirdiğine inanıyorum. Şimdi buradayız, dört kasabadan geçtik ve şimdiden birçok duygu yaşadık. Tüm bunlarla nasıl yüzleşiyorsunuz? (Tanrı'nın oğlu)

"Bana dizinizde önemli bir karakter gibi davrandığınız için teşekkür ederim. Arkadaştan daha fazlası, biz ortağız. Mevcut durumla ilgili olarak, sizden ve arkadaşlarımızdan bir şeyler öğrenmek için her dakikadan yararlanıyorum. Kendimi daha güvende hissediyorum ve ne istediğime inanıyorum ve geleceğin hak edilen başarıyı getireceğinden eminim. (Renato)

"Amin, kardeşim" Tanrı'nın oğlu heyecanlandı.

"Kendimi hiç şu andaki kadar iyi hissetmediğimi söyleyebilirim. İlk defa, hiç kimse kürtaj yaptırdığım için beni suçlamak için parmakla işaret etmiyor. Ben arkadaşlar arasındayım. (Bernadette Sousa)

"Korkularımı nasıl kontrol edeceğimi ve acılarımla nasıl yaşayacağımı zaten öğreniyorum. Taşıdığım depresyon hastalığı artık aktif değil. Her an uçabileceğimi hissediyorum. (Rafaelle Ferreira)

"Artık kendimi kirli hissetmiyorum. Burada, seninle, ben de mutluluğu arayan herhangi biri gibi bir insanım. Sana inanıyorum, Tanrı'nın oğlu! (Ömer)

"Aldivan benimle daha önce kimsenin yapamadığını yapmayı başardı: Geçmişte ona kötülük yapmış olsam bile beni affet. Kalbi nedeniyle o bir dev ve bu şansla, öğrenmek için onun varlığından yararlanmak istiyorum. Daha iyi bir insan olamayacağımı kim bilebilir? (Manoel Pereira)

"Görüyor musun Aldivan? Arkadaşlarınızın desteğini çoktan aldınız. Dünyanın vazgeçtiği kişiler, size inanın. (Uriel)

"Hepinize teşekkür etmeliyim. Siz, okuyucularım, ailem, tanıdıklarım, komşularım, iş arkadaşlarım ve tüm insanlık, Yehova'nın oğlu benim tarafımdan kucaklandığınızı hissettiğiniz için. Babama ve ismimin gücüne inananlar hayal kırıklığına uğramayacaklar. (Aldivan)

"Önemine giderek daha fazla ikna oluyorum. İki dünyada, bu kadar özel kimse yok. Bunun için Tanrı'nın Oğlu unvanını hak ediyorsun. Benim ordum ve diğer baş melekler emrinizde. (Rafael)

"Teşekkür ederim, takdir ediyorum Sayın Baş melek. Yol daha yeni başladı ve düşman kolları çapraz olmayacak. Bunula birlikte, hiçbir kötülükten korkmayacağım, çünkü her şeye gücü yeten babamın gölgesi altında yürüyorum ve hizmetkarları tarafından seviliyorum. Peki, bir şeyler yemeye ne dersiniz? (Kâhin)

Diğerleri de aynı fikirde. Teker teker koltuktan kalkıp yemek odasına gidiyorlar. Emin ve istikrarlı adımlarla hızla oraya ulaşırlar. Yemek odası, arkasında garsonların bulunduğu bir tezgâh ve mevcut alanın ortasında, sağında ve solunda masalar ve mevcut lezzetlerin tepsilerde sergilendiği self servis alanından oluşur. Grup üyeleri, diğer misafirlerle birlikte sıraya girer ve yemek tercihlerine göre tabaklarını doldurur. İkindi çayı için çeşitli tatlarda kekler, ekmek ruloları, bisküviler, tatlılar, süt, kahve ve çay var.

Tabaklarını doldurur doldurmaz oturacakları bir masa seçerler. Birçoğu olduğu için, hepsini barındırmak için başka bir masaya ihtiyaç vardır. Yemek yemeye başlarlar.

Yaklaşık yirmi dakika boyunca, huzur, rahatlık ve sükûnet atmosferinde canlı bir şekilde etkileşime girerler. Kan bağı olmasa bile kendilerini zaten büyük bir aile olarak görüyorlar, çünkü durumlarına cevap bulmak ve kendilerini daha iyi tanımak için ortak bir amaç için birleştiler. Her birinin "Ben'im" i sonsuza dek uyandı.

Yemeği bitirirler. Sonunda hızlı bir brifing alırlar ve kâhin onları yürüyüşe davet eder. Göz açıp kapayıncaya kadar, ona besledikleri sınırsız güven nedeniyle oybirliğiyle kabul ederler. Karar verildi, yemek odasından çıktılar, çıkışa ulaşana kadar otelin birkaç odasından geçtiler. Oradan sokaklarda merkez-kuzey yönünde yürümeye başlarlar.

Tacaimbó, iç kısımların tipik bir kasabasıydı. 227.586 km²'lik bir alana sahip, on üç bin nüfuslu bir nüfusa sahip. İnsani gelişim indeksi 'si, sakinlerin düşük yaşam kalitesini yansıtan 0.554'tür. Başkente 170 kilometre uzaklıktadır.

Küçük bir kasaba olmak, öğleden sonra üç buçuk, en yoğun zamanlardan biri olmak bile, çok meşgul değil. Bu onların çoğunu memnun etti.

Grup yürüyüşe devam ediyor. Merkezi geçerler ve hızla kasabanın kuzey tarafına ulaşırlar. Oradan, uzay çalışmalarının merkezi olarak bilinen önemli bir yer olan kenarına yönelirler.

Bulundukları yerden, yaklaşık beş yüz metre ötede, iki kattan oluşan, zeminde iki girişi olan, güvenlik çitiyle çevrili, birinci kata yanal erişim merdivenleri, birinci katta farklı noktalarda pencereleri olan iktidarsız bina zaten görülebiliyordu ve birinci katta oval bir oda. İkincisi, yıldızın gözlem merkezi olacaktır.

Son caddeyi takip ederek daha hızlı yürürler. Daha önce hiç böyle bir yeri ziyaret etmedikleri için aralarındaki beklenti her zaman artıyor. Onları ne bekliyordu? Kâhin onları oraya ne getirmeyi amaçladı? Şüpheler havada asılı kalıyor.

Ne olursa olsun, beklentileri dört gözle beklemeye devam etmeye niyetliydiler. Maceranın sonuna kadar gideceklerdi ve hedeflenen bilginin yavaş yavaş onlara kendini göstereceğinden emindiler.

Akıllarında bu güvenle devam ettiler ve bir süre sonra bir giriş kapısının önündeydiler. Hemen zili çalarlar. Beş dakika sonra, uzun boylu, 1,8 metre boyunda, sarışın, otuz beş yaşında, iyi yapılı, pürüzsüz tenli, beyaz gömlek, şapka, güneş gözlüğü giyen, ona belli bir çekicilik veren, plaj sandaletleri ve Bermuda şortları, iyi yapılı güçlü bacaklar gösteren bir adam yaklaşıyor.

Tüm bu nitelikleri ve dostça tavrını gösteren hoş bir gülümsemeyle konuşuyor.

"Merhaba, ben Robson Moura, sen kimsin ve ne arıyorsun?

"Benim adım Aldivan ve arkadaşlarım Renato, Uriel, Rafael, Rafaelle, Bernadette, Osmar ve Manoel (onları işaret ediyor), biz turistiz ve bu önemli gözlemevi hakkında biraz bilgi edinmeye geldik.

"Ah, çok iyi! İçeri gel o zaman! Ev senin" dedi ev sahibi, kapıyı açarak.

"Teşekkür ederim (Aldivan)

"Kapıdan geçiyorlar, toprak yolda bir süre yürüyorlar, binaya giriyorlar ve birinci kata tırmanıyorlar. Orada, kendilerini teknolojik gereçlerle dolu tamamen garip bir ortamda bulurlar. Ev sahibi olarak hareket eden Robson, oradaki her şeyin önemini göstererek ziyaretçileri hayrete düşürüyor.

Belli bir noktada Aldivan tekrar konuşuyor.

"Robson, bizi buraya getiren başka bir sebep daha var. Çıktığımız yolculukta grubumuzun bir parçası olacak sizin gibi birini arıyoruz. Kabul ediyor musunuz?

"Neden? Amaç nedir? (Robson)

"Çok çeşitli kesimlerden insanları bir araya getirmek istiyorum. Onlara hayatın özünü göstermek ve en derin şüphelerinize cevap vermek istiyorum. Aldivan)

"Tamam. Ama henüz ikna olmadım. (Robson)

"Ona güvenebilirsin Robson. Tanrı'nın oğlu size eşlik edecek en uygun kişidir. Davetten memnun olun, çünkü çok azı bu fırsata sahip. (Renato)

"Onunla Arcoverde 'deki kurtuluş katedralinde tanıştığımda da şüphelerim vardı. Ancak zaman geçtikçe doğru bir seçim yaptığımı anladım. (Rafaelle Ferreira)

"Aldivan'ı çocukluğundan beri tanıyorum. Size onun harika bir insan olduğunu söyleyebilirim, tamamen güvenilir. (Bernadette Sousa)

"Aldivan büyük bir hayalperest ve karizmasıyla büyük bir adam oldu. Düşük bir sosyal sınıftan geldi ve onun her zaman onurlu bir insan olduğuna tanıklık edebilirim. (Ömer)

"Suçlarımı affeden tek kişi oydu. Merhameti ve nezaketi anlaşılmaz. (Manoel Pereira)

"Çırağım size kendi ortasında kabul sunuyor. (Uriel)

"Karar vermekte özgürsünüz. Kabul ederseniz, iyimser olacaksınız. Eğer reddedersen, sonsuza dek karanlıkta kalırsın. (Rafael)

"Tanrı'nın oğlu, hayalperest, iyi insan. Tek bir kişi için çok fazla sıfat. Sen kimsin gerçekten, Aldivan? (Robson)

"Ben sabah esintisiyim, seni ısıtan güneşim, insanlar arasındaki sevgi, ben zor zamanlarda teselli eden şefkatli sözüm, ben çıkış yolu olmadığında kurtuluşum, ben her zaman son ana kadar sana inandığın kişiyim, ben başlangıç, orta ve sonum. Son olarak, "Ben." (Aldivan)

"Sözlerin beni umutla dolduruyor. Senin kadar harika birinin beni nasıl rahatsız ettiğini anlamıyorum. Bilmelisiniz ki ben evrenin bir bilim adamıyım ve bu nedenle Tanrı'ya olan inancım her zamankinden farklı. Gerçeklere daha çok inanıyorum. (Robson)

"Her şeyi biliyorum. Seni tanıyorum ama seni istiyorum. Yanımda depresif bir kadın, bir kürtajcı, bir sübyancı, bir uyuşturucu bağımlısı, bir macera partneri ve iki baş melek var. Bu, kimseye karşı önyargılı olmadığını gösterir. Ben doğrular için değil, onları kurtarmak amacıyla katılaşmış günahkârlar için gönderildim" diye açıkladı Aldivan.

"Ne diyeceğimi bilmiyorum. (Robson hıçkıra hıçkıra ağlıyor)

Tanrı'nın oğlu ona yaklaşır, onu kucaklar ve babasının omzunu sunar. Robson başını eğiyor ve orada dinlendiriyor. İlk defa, evrenin bilinmezliği yerine güvenliği hissetti. Aldivan, yavaş yavaş çözmekten zevk alacağı bir gizemdi. Ve eğer her şey doğru olsaydı, sonunda gerçek Tanrı'yı tanıyacaktı ve bazı dinler tarafından sürdürülen bir saçmalığı değil. O zamanlar her şey mümkündü.

Robson sakinleştikten sonra biraz uzaklaşırlar. Konuşma daha sonra devam eder.

"Ne okuyorsun, Robson? (Renato)

"Ben bir astrolog ve ufolog. Küçüklüğümden beri evrenin gizemlerini çözme merakım vardı. Ya sen? (Robson)

"Hala okuldayım. Mimoso 'da, Ororubá 'da yaşıyorum. (Renato)

"Ben de okuyorum. Ama son zamanlarda hastalığım nedeniyle hiçbir şey yapmıyordum. (Rafaelle)

"Pesqueira 'da belediye memuruyum. (Bernadette Sousa)

"Sanharó vilayetinde uzun süre çalıştım. Ancak şimdi işsizim. (Ömer)

"Sokaklarda yaşadım. Umarım bir daha asla geri dönmem. (Manoel)

"Ben bir baş meleğim ve görevim tüm evreni ayakta tutmak. (Rafael)

"Ben Aldivan'ın koruyucusuyum. (Uriel Ikiriri)

"Ben bir kamu görevlisi ve yazarım. Misyonum birçok insanın hayal kurmasını sağlamak. (Aldivan)

"Çok iyi. İtiraf etmeliyim ki, evrenin birazını incelediğim ve keşfettiğim kadarıyla beni şaşırtıyorsun. (Robson)

"Yani, şu andan itibaren kendinizi benim elçim olarak kabul edebilirsiniz. Davalarınıza tam bir bağlılık sözü veriyorum. (Aldivan)

"Teşekkür ederim. Senden bir hediye istiyorum. Ne önerirsiniz? (Robson)

Aldivan, Rafael'e bakışır. Zaten talebi bekliyordu. Zihinsel olarak iletişim kurarlar ve sonunda Rafael olumlu bir sinyal verir. Harika bir şey olacaktı. Kısa bir brifingde dışarı çıkmaya karar verirler. Bulundukları gözlemevinden iki kattan aşağı indiler ve birinci katta dışarı çıktılar. Zaman çok uygundu, çünkü kendilerini sihir ve rustik ortama tamamen entegre hissettiler. Gören daha sonra konuşur:

"Hayalini gerçekleştireceğim, sevgili dostum Robson. Hazır mısın?

Robson içten içe titriyor. Hayali mi? Teknoloji ne kadar geliştiyse, projesinin imkansızlığını çoktan anlamıştı ve şimdi bu garantinin önündeydi. Tanrı olmadıkları sürece.

"Daha iyi açıklayabilir misin? (Robson)

"İki hizmetkarım, Uriel ve Rafael, evrenin hemen hemen tüm köşelerini biliyorlar. Bizi oraya götürecekler.

"Ciddi, Rafael? (Şüpheci Robson'a sordu)

"Evet, insan. Tanrı'nın oğlu ne isterse onu yapacağız. (Rafael)

"Tamam. Buna inanıyorum. (Robson)

"O zaman gidelim. (Tanrı'nın oğlu)

Tanrı'nın oğlundan gelen bir işaretle, melekler insanları kollarından yakalar ve ikisi arasında bölerler. Rafael ile birlikte kalın, Rafaelle, Bernadette ve Renato. Uriel, Osmar, Manoel ve Robson ile birlikte. Tanrı'nın oğlu, babanın lütfuyla kendi başına uçardı. Her şey hazır, görünmezliğin beyaz büyüsünü kullanıyorlar ve gizli evrene doğru yola çıkıyorlar.

Tüm toprak katmanlarını geçerek, hayal edilemez bir hızla dış uzaya ulaşırlar. Nanosaniyeler içinde galaksileri, galaksi kümelerini ve hatta süper kümeleri geçerler.

Dünyadan yaklaşık bir milyar ışıklıyı uzakta dururlar. Tanrı'nın lütfuyla yüzüyorlar çünkü bulundukları yerde yerçekimi yoktu. Robson gözlerini açar ve korkusuzca en derin dileğine hayran kalır: İlk kara delik. Güneşimizin on katına eşit devasa kütleye sahip bir yıldızın patlamasının kalıntılarından oluşan devasa bir silindir olarak tanımlanabilir ve özel durumu evrenin kökeni ile bağlantılıydı.

Robson duygusal olarak şöyle haykırıyor:

"Artık huzur içinde ölebilirim! Birçok bilim adamının hayalini kurduğu şeyi gördüm.

"Henüz senin zamanın değil. Uzun yaşayacaksın ve benim yanımda babayı gerçekten tanıma fırsatına sahip olacaksın. "Ben" bunu garanti eder. (Tanrı'nın oğlu)

"Teşekkür ederim. Tanrı'nın oğlu, başlangıçta her şey nasıldı? (Robson)

"Zihniniz sınırlı olduğu için insana verilmeyen şeyler vardır. Sadece şunu söyleyeceğim, belli bir zamanda babam emri verdi ve her şey yaratıldı, genişlemeye devam etti ve şimdiye kadar yaratılmaya devam etti, çünkü evren durağan değil. Büyük bir el tarafından iç içe geçmiş bir dizi karmaşık devrimdir ve sahibine Tanrı denir. (Aldivan)

"Etkileyici! (Diye haykırdı Robson, tekrar sonsuz evrene bakarak)

"Evrenin uçsuz bucaksızlığından da etkilendim. Ancak en etkileyici olanı, Aldivan gibi insanlığın geleceğini ve refahını gerçekten önemseyen birinin var olmasıdır. (Tanıklık Renato)

"Teşekkürler, arkadaşım ve ortağım, Renato. Bu senin gözlerin; ben sadece Tanrı'nın ruhuna sahip olma ve evrende bir yer arama armağanına sahip basit bir ölümlüyüm. Yazılarımın insanlar tarafından okunmasından ve hayal kurmalarını sağlamaktan mutlu olacağım, çünkü mutluluk hayatın önemsiz şeylerinde bulunur. (Aldivan)

"Biliyorum. İhtiyacınız olan her şey için yanınızdayım. (Renato)

"Bu kara deliğe baktığımda, sorunlarım ortadan kalkmış gibi görünüyor. Bu, "Sorununuzun büyüklüğüne değil, Tanrınızın büyüklüğüne bakın" demesi gibidir. Ondan önce ne kadar aptal olduğumu görüyorum. (Rafaelle Ferreira)

"Ben de aynı şekilde hissediyorum dostum. Burada artık kürtajcı değilim, sadece diğerleri gibi hayallerle dolu bir kadınım. (Bernadette Sousa)

"Suçlarımdan utanıyorum. Tanrı'nın oğlundan ve kara delikten önce yeniden doğdum. (Manoel)

"Gösteri gerçekten çok güzel ve sormaya cüret ediyorum: Rabbin oğlu, kendime ve topluma yaptığım tüm kötülükler için beni affediyor musun? (Ömer)

"Bu güce sahip olduğuma inanıyor musun? (Kâhin)

"Evet, inanıyorum" dedi Osmar tereddüt etmeden.

"Öyleyse imanınıza uygun davranın. Remisyonda kalmak artık size bağlı. Dünyanın arzularından vazgeçmek, taşımam için bana çarmıhını vermek ve kendinizi kendi iyiliğinize ve komşunuzun iyiliğine adamak yeterlidir. Seni, diğerlerini ve evreni seviyorum" diyor Tanrı'nın oğlu.

Osmar duygusallaştı. Kâhin 'in sözlerini dinledikten sonra, omuzlarından bir ton ağırlık kalkmış gibiydi. Kendini özgür, saf ve kurtarılmış hissetti. Şu andan itibaren, yeni bir adam olacak ve Tanrı'nın yoluna koyduğu o kutsanmış varlık hakkında daha fazla bilgi edinmek için yolculuktan yararlanacaktı.

O kadar mutluydu ki, ona gitti ve ona kocaman bir sarıldı ve yüzen aralıklar arasında bir öpücük verdi. Melekler ve diğerleri yaklaştı ve çoklu bir kucaklaşma oldu. Kucaklaşmanın sonunda, sonsuzdan gelen bir ses duydular: Bu, içinde zevk bulduğum sevgili manevi oğlum. Her zaman onu dinle."

Her şey elde edildi. Tanrı'nın oğlu bir işaret vererek meleklere gelmelerini emreder, aynı insanları aralarında taşırlar ve devasa dönüş yolculuğuna başlarlar.

Olağanüstü hızlarıyla güneş sistemlerini, galaksileri, kümeleri ve küme kümelerini geçerler. İmkânsız onun ellerinde elde edilebilirdi. Birkaç saniye içinde dünyaya varırlar ve atmosferine girerler.

Oradan rasathaneye göz açıp kapayıncaya kadar geçti, melekler ve Tanrı'nın oğlu güvenli bir şekilde indi. Görünmezliğin beyaz büyüsü çözülür ve sonra gezegenin varlıkları tarafından tekrar görünür hale gelirler. Yolculuk başarılı olmuştu.

Gözlemevine dönüş

Gözlemevinin dışında, Robson tekrar konuşuyor.

"Sen mükemmelsin. Hayalimi gerçekleştirdim ve kendimi yenilenmiş hissediyorum. Başka ne olabilir?

"Vaftiziniz kayıp" diye uyardı Rafaelle Ferreira.

"Nasıl olur? Vaftiz? (Diye sordu Robson, anlamadan)

"Ona göster, Tanrı'nın oğlu. (Rafaelle Ferreira)

Kâhin ona doğru yürür ve Robson bitkin hisseder. Ne hakkında? Her ne olursa olsun, efendisine ve efendisine tamamen güveniyor. Saçlarını kısa bir süre karıştırdıktan sonra, kâhin yaklaşır ve eline bir dokunuşla, ilgili vizyon aracılığıyla havarisi hakkında biraz daha fazla bilgi edinebilir.

"1982 yılının Eylül ayının yedinci günüydü. Sakin ve sağlıklı bir atmosferde, küçük Tacaimbó 'da sağlam bir orta sınıf ailede Robson adında küçük bir çocuk doğdu. Recife kökenli, ünlü astrologlar olan Shelia Moura ve Roberto Vieira'dan oluşan çift, gözlemevini iç mekana getiren projenin akıl hocaları oldu. Onlara göre Tacaimbó, uzak galaksileri gözlemleyebilecekleri en uygun yerdi.

Onlardan gelen özen ve özveriyle, küçük çocuk Robson yavaş yavaş büyüdü. Kendini bir insan olarak tanıdığı için enerjik, huzursuz ve meraklıydı. Anne ve babasının öncü kanı damarlarında dolaşıyor.

Okula başladı, sosyal aktivitelere katılmaya başladı ve mizacı değişmedi. Ebeveynleri tarafından cesaretlendirilerek astronomi ve ufolog sevmeye başladı. Yeni bir bilim adamı prototipi ortaya çıktı.

Zaman geçti ve Robson yakışıklı bir genç adam oldu. Üniversiteye gitmek için Recife 'ye taşındı. Dört yıl sonra, emekli olan ailesinin görevini üstlendiği Tacaimbó 'ya geri döndü.

Ve hayat devam etti. Yıllar sonra ailesi öldü ve ona hayattaki ilk büyük şokunu yaşattı. Hiçbir şey mantıklı değildi. Son ölümse bu kadar çabanın ne faydası vardı? Acı çektiği zamanlarda sordu ve bir açıklama ya da açık bir cevap bulmanın bir yolu yoktu.

Bu gerçek onu yıldızları ve UFO fenomenini araştırmaya ve incelemeye teşvik ediyor. Amaç, bilinmeyen bir varlık ve tüm evrenin akıl hocası olan ve hiçbir dinin kesin cevapları olmayan Tanrı'yı bulmaktı.

Çalışmalar ilerledikçe, sıfır noktası kavramını ve orijinal kara deliği keşfeder. Bu bir izdi, ama tatmin olmadı, çünkü teknoloji bu kadar uzak bir yere gitmeye asla izin vermeyecekti.

Daha sonra olağanüstü bir grupla beklenmedik bir karşılaşma meydana geldi. Tanrı'nın ortak oğlu Aldivan Torres 'in önderliğinde, ona hayallerin mümkün olduğunu gösterdi. Şimdi, manevi yönünü öğrenmek ve güçlendirmek için onlarla zaman geçiriyordu. İmkansızın Tanrısı Tanrı'n keşfetmeye doğru ve bu en heyecan verici maceraydı."

Dokunma süresi sona erdi. İkisi de bir süreliğine uzaklaşır ve gülümser; Tanrı'nın oğlu tekrar konuşuyor:

"Sana yardım etmek için burada olduğumu anlıyorum. Tecrübelerimle, yaşamanın öğrenmek olduğunu garanti edebilirim ve sizi davet ettiğim bu yolculuk mükemmel bir fırsat. Rahat ol kardeşim.

"Teşekkür ederim Aldivan. Beklentilerinizi karşılayacağıma söz veriyorum. Ben hazırım! (Robson onaylandı)

"Mükemmel. Gidiyor muyuz beyler? (Kâhin)

"Evet. (Diğerleri)

Herkesin hemfikir olmasıyla gözlemevini kilitlerler ve ayrılırlar. Yolda yeni arkadaşın evine giderler ve sabırla çantalarını toplamasını beklerler. Hazır olduğunda otele giderler.

Normal trafiğin olduğu sokaklarda kıvrıla kıvrıla ilerledikten sonra otele varırlar. Akşam yemeği saatine daha bir saat kaldığı için banyo yapmaktan yararlanıp dinleniyorlar. Ayrıca yeni arkadaşlarını ayırtarak yerleşmesine yardımcı olurlar. Geceyi orada geçirecek ve ertesi sabah yolculuğa çıkacaktı.

Saatin sonunda akşam yemeği için yemek salonunda buluşurlar. Daha sonra TELEVİZYON izliyorlar, müzik dinliyorlar, kitap okuyorlar ve biraz öğreniyorlar. Saat 9 civarında, gökyüzünü hayranlıkla izlemeye giderler ve Robson bazı özel dersler vermek için avantaj sağlar. Huzurlu bir atmosferde her şey yolunda gidiyor.

Daha sonra uyurlar. "Kâhin" dizisindeki aile her geçen gün büyüyordu. Bir sonraki bölüme kadar, okuyucular.

Aziz Cajetan

Gece geçiyor, şafak söküyor ve gün ağarıyor. Son derece erken, yolcular uyanır ve ihtiyaçlarını yapmak için kalkarlar. Bunlar arasında banyo yapmak, tıraş olmak, kahvaltı yapmak, dişlerini fırçalamak ve paketlemek. Bütün bunlar bittiğinde hesabı öderler, diğer misafirlerle vedalaşırlar ve sonunda ayrılırlar. Dünya, kaderleri hakkında daha fazla bilgi vermelerini bekliyor.

Otelin dışında, oradan yaklaşık yedi yüz metre uzaklıktaki otobüs durağına gidiyorlar. Yolda bazı sokaklardan geçiyorlar, insanları selamlıyorlar ve iyi inşa edilmiş binalara ve bazı dükkanlara hayranlıkla bakmak için bazı noktalarda duruyorlar. Gerçekten de bu kasaba özeldi ve onu terk etseler de güzel anılar kalacaktı. Odak noktası olarak buraya fütüristik kasaba unvanını veren modern gözlemevini her zaman hatırlayacaklardı. Otelden ayrıldıktan yirmi dakika sonra küçük otobüs durağına varırlar. Biletleri alırlar ve ana bekleme salonunda dinlenirler. Herkes için bir farkındalık, analiz ve beklenti zamanıydı. Özellikle, kâhin, krallığı için bir kalp daha fethettiği için mutluydu. Şimdi bu grubun beklentilerini karşılamayı ve şefkate ve rehberliğe çok ihtiyaç duyan zihinlere babası hakkında biraz daha fazla bilgi vermeyi umuyordu. Bu, babası tarafından kendisine emanet edilen dünyadaki görevinin bir parçasıydı.

Otobüsün gelişini beklerken kendilerini en iyi şekilde eğlendirirler: Müzik dinler, kitaplardaki pasajları okur, ulaşım için bekleyen diğer yolcularla sohbet ederler. Ta ki bir şeyler değişene kadar.

Mekânda garip bir kargaşa var ve iyi silahlanmış beş adam yolculara yaklaşıyor. Bir soygun duyurusu yaparlar ve hızlı bir aramada mevcut insanların kişisel eşyalarını çalarlar. Birisi direnmeye çalışıyor ama silahla tehdit ediliyor. Üç dakikanın sonunda, yanlarına iyi miktarda eşya alarak uzaklaşırlar. Hemen polis çağrıldı, ancak soyguncular ortadan kayboldu, asfalt giriş, bekleme odası, bilet gişesi, tuvaletler ve atıştırmalık bardan oluşan tek katlı otobüs durağının dışında bir araba bekliyordu.

Şok, soygundan sonra herkesin durumunu tanımlamak için doğru kelimeydi. Bu kadar sakin bir kasabada bu kadar acımasız bir şiddet nasıl mümkün oldu? Daha iyi düşünmek şaşırtıcı değildi, çünkü siteler, çiftlikler ve köyler de dahil olmak üzere her yerde suç vardı. Dünya Tanrı'dan her zamankinden daha uzaktı.

Değerli şahsiyetlerimizden önemli miktarda para, saat, cep telefonu ve mücevher çalındı. Neyse ki, onlar için kâhin banka kartlarını külotun cebine saklamıştı. Biletler, yemek ve yolculuğun diğer masrafları için yeterliydi. Aynen öyle.

Soygundan on dakika sonra otobüs geliyor ve arkadaşlarımız da dahil olmak üzere bekleyen insanlar otobüse biniyor. Tüm üzücü şeyler geride kaldı ve yeni bir hikâye yaşayacaklardı. Hayatın büyük sahnesinde kendi başlarına oynanan bir hikâye. O zamanlar, onları bir saniye bile yalnız bırakmayacak olan Rafael ve Uriel gibi iyi huylu varlıkların desteğine tamamen güveniyorlardı. Neredeyse haydutlara karşı tepki gösterdiler ve onlara bir ders verdiler ve bunu sadece cennetin sırrını ne pahasına olursa olsun saklamak için yapmadılar.

Herkes yerleştikten sonra ayrıldılar. Kâhin ve ortağı Renato ön koltuklarda oturuyorlardı. Birisi otobüsün arkasından onlara yaklaştığında planları ve kişisel konuları hakkında canlı bir sohbet ediyorlar.

Kendini bir Lídio Flores olarak tanıtıyor, izin istiyor ve yanlarında oturuyor, aralarında sıkışıyor, müsait alanda. Konuşma hemen durur ve yabancı açıklar.

"Seni tanıyorum. Bir reklam afişinde fotoğrafınızı gördüm. Sen "kâhin" dizisinin dinamik ikilisisin, değil mi?

"Evet. Ortağım ve ben bu projenin temel direkleriyiz. (Aldivan)

"Birlikte daha güçlüyüz. (Renato)

"Çok iyi. Ben senin hayranınım. Mevcut proje nedir? (Lídio)

"Çeşitli sorunları olan insanları işe alıyoruz; ziyaret ettiğimiz kasabalarda. Amaç, onlara benim ve babamın kişiliğini biraz göstermek ve sonunda klişeleri yıkmak. (Kâhin)

"Bir sonraki hedef Kutsal Cajetan. (Bilgilendirilmiş Renato)

" İlginç, ben Kutsal Cajetan şehrindenim. Bir süre sonra oraya dönüyorum. Sizi evde kısa bir süre kalmaya davet etmek istiyorum. (Lídio)

"Ne düşünüyorsun, Renato? (Tanrı'nın oğlu, fikrini soruyor)

"Sorun yok. Hedeflenen halkla daha fazla temas kurmak da önemlidir. (Renato)

"Elbette. Kabul ediyoruz Bay Lídio. Çok teşekkür ederim. (Kâhin)

Sohbet, gezinin geri kalanında canlı bir şekilde devam etti. Her birinin zamanı ve oyu var, büyük bir demokraside. Grubun diğer unsurları ne olup bittiğinin farkında olmadan koltuklarında dinlenirler.

Kasabaları ayıran on altı kilometre, hızla kat edilir. Otobüs büst durağında durur ve inerler. Otobüsten inerek, yeni arkadaşın rehberliğinde yürümeye başlarlar. Grubun diğer üyelerine kısa bir giriş var.

Kasabanın atmosferi sessiz ve muhafazakardır. Yaklaşık otuz yedi bin nüfusu, 382.475 km²'lik alanı ve 0.591 İGE endeksi ile modern binalara ve yerel kültürün dinamik merkezine yansıyor. İnsanlar da arkadaş canlısı görünüyor, ziyaret edilen tüm kasabaların ortak bir özelliği. Gerçekten de seyahat etmek de macera kadar keyifliydi.

Belli bir noktada güneş ısınır ve grubun bileşenleri çeşitli şekillerde tepki verir. Bazı erkekler gömleklerini çıkarır, çıplaklıklarının bir kısmını gösterir, kadınlar vantilatörleri kullanır ve diğerleri nezaket için sıcağı görmezden gelir.

Arkadaşın ikametgahının uzak olmadığı ve kahramanca bir çaba göstermeleri gerekmediği gibi.

Geçitler ve düz bölümler arasında iki blok yürüdükten sonra önüne gelirler.

Lídio bavulu arar. Küçük bir anahtar çıkarır ve kapı kilidini takar. Kullanım eksikliğinden dolayı, kapıyı açmak için iki kez basmak gerekir. Açıldıktan sonra, hepsi on metre uzunluğunda ve dört metre genişliğinde, beş odalı mütevazı eve davet edilir. İki yatak odası, bir salon, bir mutfak ve banyo.

İçeri girdiklerinde, her yerde mobilyalarla dağınık, tozla dolu bir ıssızlık atmosferi görüyorlar. Ev sahibi konuşuyor.

"Lütfen aldırmayın arkadaşlar, üç ay önce büyük bir rüya aramak için ayrıldım. Geri dönüp eskisi gibi hayata geri dönmem gerektiğini bilmiyordum.

"Teşekkür ederim, zahmet et. Çok iyi anlıyoruz. (Kâhin)

"Bavulları kaldıralım. Sonra bir araya gelip genel bir temizlik yapıyoruz. Anlaştık mı beyler? (Rafael)

"Harika fikir kardeşim. (Uriel)

"Ben mükemmel bir temizlikçiyim. Ev işlerimi hep tek başıma yapmak zorunda kaldım. (Bernadette Sousa)

"Ben de yardım ederdim. Bir krizde olmadıkça," dedi Rafaelle Ferreira.

"Valilikte her zaman çalışanlarım oldu. Benim evimde de. Nasıl işe yarayacağımı bilmiyorum. (Ömer)

"Ben de bilmiyorum. Çalışmalarım hep tarlalarda oldu. (Renato)

"Ben de hiçbir şey bilmiyorum. Ama deneyebilirim, değil mi? (Robson)

"Destekliyorum. Yararlı hissetmenin bir yolu, bir süredir olmadığım bir şey. (Manoel Pereira)

"Sana öğreteceğim. Küçüklüğümden beri hayatta hiç tembel olmadım. Zahmetsiz olacak, garanti ederim. (Kâhin)

"O zaman karar verildi, arkadaşımıza yardım edelim. (Rafael)

"Teşekkür ederim. (Lídio)

Yani, ayarladılar. Eşyalarını odalara koyun, biri erkekler için, diğeri kadınlar için. Daha sonra mutfağa giderler ve kendilerini süpürge, paçavra, yıkayıcı, kürek, sabun ve su ile silahlandırırlar.

Mutfaktan salona giderler ve temizliğe başlarlar. Bilenler öğrenenlere öğretir ve tozlar, kahkahalar, sıkmalar ve ev olarak adlandırılamayacak yerin alçakgönüllülüğü arasında her şey çok eğlenceli hale gelir.

Yaklaşık otuz dakika içinde görevin ilk bölümünü bitirirler. İkincisi, suyla seyreltilmiş bir ürün kullanarak zeminde bir bezi dikkatli bir şekilde geçirmekten ibarettir. Daha hassas bir iş olduğu için sorumluluk kadınlara düşüyor.

Bu aşama bittikten sonra, üçüncü aşama takip eder, mobilyaları organize eder. Bu kaba kuvvet gerektirdiğinden, harekete geçme sırası erkeklerdedir, elbette kadınlar tarafından denetlenir. Sonunda harika bir iş çıkarıyorlar. Ev kusursuz.

Sabah saat sadece on olduğu için, kendilerini başka görevler için ayırdılar. Bazıları öğle yemeğini hazırlar (Yemeği satın alın, hazırlayın ve pişirin) ve diğerleri maceranın sonraki aşamalarını planlar. Yıkanmak ve rahatlamak için hala zamanları var.

Saat tam on ikide mutfakta tekrar buluşuyorlar. Tek masanın etrafına yerleşirler. Aynı şekilde, herkes için yeterli alan var. Menü pirinç, makarna, fasulye, manyok, un, sebze ve meyve suyundan oluşuyor. Her şey basitti ama yemeye başladıklarında herkes onu lezzetli buluyor.

Yemek yerken, konuşma kaçınılmazdır.

"Peki, dostlarım, nereye gidiyorsunuz? (Lídio Flores)

"Kaderin bizi götürdüğü yere gidiyoruz. İsterseniz bu büyük maceraya katılmaya davetlisiniz. (Kâhin)

"Teşekkür ederim. Biraz düşüneceğim. (Söz Verilen Lídio)

"Yaşamak için ne yapıyorsunuz Bay Lídio? (Renato)

"Biyofilmim alanında uzmanlaştım. Evrim teorisini derinlemesine inceledim ve üç ay önce bu alanda çalışmaya başladım. Ancak eve dönmeye ve hayat hakkında biraz düşünmeye karar verdim" diye açıkladı Renato'nun sorusunu yanıtlayarak.

"Çok ilginç. (Renato)

"Hayatı nasıl görüyorsun? (Robson Moura)

"Hayatı birbirine bağlı büyük bir zincir olarak görüyorum. Arkasında üstün bir zekâ olup olmadığı henüz kanıtlanmamış bir şeydir. (Lídio)

"Bu durumda, aynı fikirde değilim dostum. Tanrı'nın varlığına dair sayısız kanıt var ve ben de onlardan biriyim. (Görene müdahale etti)

"Tamam. Öğrenmek için buradayım. (Lídio)

"Bize evrimciliğin, maymunlardan türediğimiz teorisiyle herhangi bir bağlantısı olup olmadığını açıklayabilir misiniz? (Manoel Pereira)

"Biraz. Evrimcilik, farklı türlerde zaman geçtikçe meydana gelen sürekli değişimleri açıklamak amacıyla geliştirilmiş karmaşık bir teoridir. Ana akıl hocası, büyük bir deniz seferi sırasında dünyanın çeşitli yerlerinde yapılan saha araştırmalarına dayanan "Türlerin Kökeni" adlı çalışmanın yazarı İngiliz Charles Darwin'di. Bu keşif gezisinde, soyu tükenmiş ve gerçek türler arasında ortak özellikler olduğunu anladı, bu da onu aralarında mutant bir özelliğe inandırdı. Sonunda özelliklerini korumadıkları sonucuna vararak evrimleşirler ve bu değişiklikleri genetik olarak diğer nesillere aktarırlar. Daha sonra yaşadığımız çevreye uyum sağlayan doğal seleksiyon kavramı ortaya çıkar. (Lídio Flores)

"Oradan, insanın maymundan geldiği varsayımı. (Manoel)

"Az ya da çok. Araştırmaların gösterdiği şey, maymunla ortak bir ataya sahip olduğumuzdur. Bu gerçeği güçlendiren şey, genlerimizin şempanzelerinkine %98 oranında benzemesidir. (Lídio Flores)

"Benzer olmak eşit anlamına gelmez, vurgulamak önemlidir. Kanıtlanmış olan, sadece iki tür arasında ortak bir yakınlık mı? Gerçekten de insan eşsiz bir varlıktır. (Görenin sözünü kesti)

"Evet. Şimdiye kadar. (Lídio).

"Mükemmel. Yıldızları ve uzaydaki yaşamı inceliyorum, ama itiraf etmeliyim ki ben sıradan bir insanım, gezegenimdeki yaşamla ilgili. (Robson Moura)

"Bana gelince, astronomi veya UFO hakkında hiçbir şey anlamıyorum. Aynen böyle. Kimse her şeyi bilmiyor. (Lídio)

"Uzmanlaşmaya çalıştığınız alandaki işi bırakmanıza ne sebep oldu? (Rafaelle Ferreira)

"Çelişkiler, üstlerle tartışmalar, korku ve hayatın büyük gizemi önündeki belirsizlik. Yeni ufuklar aramak istiyorum. (Açıklama Lídio)

"Sana baba, kardeş ve her şeyden önce arkadaş olarak yardımımı sunuyorum. Çok ihtiyacın olan cevaplara sahibim. (Tanrı'nın oğlu)

"İnanmak istiyorum ama zihnim çok kırılgan ve inanmaz (Lídio)

"Derin kaz dostum. Başlangıçta ben de inanmadım ya da ustanın yanında kendimi çok daha iyi hissediyorum. (Rafaelle Ferreira)

"Aldivan bana sevdiklerimden alamadığım desteği verdi. Bu yüzden kendinizi güvenle onun kollarına verin. (Önerilen Bernadette Sousa)

"Kitabını okudum, kâhin. Tanrı'nın oğlu olduğun doğru mu? (Lídio)

"Cevap kalbinizin derinliklerinde. Onu dinlemeniz yeterli. Diğerleri gibi ben de seni yanımda istiyorum. Kabul ediyor musunuz? (Gören).

Lídio teklifi iki saniye düşünür. Ne kaybedebilirdi ki? Hiçbir şey yoktu ve doğuştan meraklıydı. Kılık değiştirmiş bir gülümsemeyle cevap verdi:

"Tamam. Gidiyorum. Sadece yarın olması şartıyla.

"Sorun değil. Günün geri kalanından belediyeyi dolaşarak yararlanalım. Rehberimiz sen olacaksın. (Kâhin)

"Tabii, kardeşim. (Kabul edilen Lídio)

Konuşma durur. Herkes yemeğini bitirmeye çalışır. On dakika sonra bitirirler ve kibarca herkes bulaşıkları yıkamaya yardım eder. Sonunda bir araya gelirler, Lídio sırt çantasını toplar ve yeni keşiflere doğru yola çıkar. Aziz Cajetan keşfedilmeyi bekliyordu.

Son

Milton Keynes UK
Ingram Content Group UK Ltd.
UKHW040004241123
433051UK00022B/26